suhrkamp taschenbuch 78

D1374297

Wolfgang Koeppen
Das Treibhaus

Suhrkamp

Umschlagfoto: Abisag Tüllmann

suhrkamp taschenbuch 78
Dritte Auflage, 24.–28. Tausend 1979
© 1953 by Scherz & Goverts Verlag GmbH Stuttgart
Copyright dieser Ausgabe Suhrkamp Verlag
Frankfurt am Main 1972
Suhrkamp Taschenbuch Verlag
Alle Rechte vorbehalten, insbesondere das
des öffentlichen Vortrags, der Übertragung
durch Rundfunk und Fernsehen
sowie der Übersetzung, auch einzelner Teile
Satz: Georg Wagner, Nördlingen
Druck: Nomos Verlagsgesellschaft, Baden-Baden
Printed in Germany
Umschlag nach Entwürfen von
Willy Fleckhaus und Rolf Staudt

Der Roman *Das Treibhaus* hat mit dem Tagesgeschehen, insbesondere dem politischen, nur insoweit zu tun, als dieses einen Katalysator für die Imagination des Verfassers bildet. Gestalten, Plätze und Ereignisse, die der Erzählung den Rahmen geben, sind mit der Wirklichkeit nirgends identisch. Die Eigenart lebender Personen wird von der rein fiktiven Schilderung weder berührt noch ist sie vom Verfasser gemeint. Die Dimension aller Aussagen des Buches liegt jenseits der Bezüge von Menschen, Organisationen und Geschehnissen unserer Gegenwart; der Roman hat seine eigene poetische Wahrheit.   W. K.

Gott allein weiß, wie kompliziert die Politik ist und daß Hirne und Herzen der Menschen oft nur wie hilflose Hänflinge in der Schlinge flattern. Doch wenn wir uns über ein großes Unrecht nicht genügend empören können, werden wir niemals rechtschaffene Taten vollbringen. Harold Nicolson

Der Prozeß der Geschichte ist ein Verbrennen. Novalis

I

Er reiste im Schutz der Immunität, denn er war nicht auf frischer Tat ertappt worden. Aber wenn es sich zeigte, daß er ein Verbrecher war, ließen sie ihn natürlich fallen, lieferten ihn freudig aus, sie, die sich das Hohe Haus nannten, und welch ein Fressen war es für sie, welch ein Glück, welche Befriedigung, daß er mit einem so großen, mit einem so unvorhergesehenen Skandal abging, in die Zelle verschwand, hinter den Mauern der Zuchthäuser vermoderte, und selbst in seiner Fraktion würden sie bewegt von der Schmach sprechen, die sie alle durch ihn erlitten (sie alle, sie alle Heuchler), doch insgeheim würden sie sich die Hände reiben, würden froh sein, daß er sich ausgestoßen hatte, daß er gehen mußte, denn er war das Korn Salz gewesen, der Bazillus der Unruhe in ihrem milden trägen Parteibrei, ein Gewissensmensch und somit ein Ärgernis.

Er saß im Nibelungenexpreß. Es dunstete nach neuem Anstrich, nach Renovation und Restauration; es reiste sich gut mit der Deutschen Bundesbahn; und außen waren die Wagen blutrot lackiert. Basel, Dortmund, Zwerg Alberich und die Schlote des Reviers; Kurswagen Wien Passau, Fememörder Hagen hatte sich's bequem gemacht; Kurswagen Rom München, der Purpur der Kardinäle lugte durch die Ritzen verhangener Fenster; Kurswagen Hoek van Holland London, die Götterdämmerung der Exporteure, die Furcht vor dem Frieden.

Wagalaweia, rollten die Räder. Er hatte es nicht getan. Er hatte nicht gemordet. Wahrscheinlich war es ihm nicht gegeben zu morden; aber er hätte morden können, und die bloße Vorstellung, daß er es getan hatte, daß er das Beil gehoben und zugeschlagen hatte, diese Annahme stand so klar, so lebendig vor seinen Augen, daß sie ihn stärkte. Die Mordgedanken liefen wie Ströme hochgespannter Energie durch

7

Leib und Seele, sie beflügelten, sie erleuchteten, und für eine Weile hatte er das Gefühl, es würde nun alles gut werden, er würde alles besser anpacken, er würde zupacken, er würde sich durchsetzen, er würde zur Tat gelangen, sein Leben ausschöpfen, in neue Reiche vorstoßen – nur leider hatte er wieder nur in seiner Phantasie gemordet, war er der alte Keetenheuve geblieben, ein Träumer *von des Gedanken Blässe angekränkelt.*

Er hatte seine Frau beerdigt. Und da er sich im bürgerlichen Leben nicht gefestigt fühlte, erschreckte ihn der Akt der Grablegung, so wie ihn auch Kindtaufen und Hochzeiten entsetzten und jedes Geschehen zwischen zwei Menschen, wenn die Öffentlichkeit daran teilnahm und gar noch die Ämter sich einmischten. Dieser Tod schmerzte ihn, er empfand tiefste Trauer, würgenden Kummer, als der Sarg in die Erde gesenkt wurde, das Liebste war ihm genommen, und wenn auch das Wort durch Millionen Trauerkarten glücklicher Erben entwertet war, ihm war das Liebste genommen, die Geliebte wurde verscharrt, und das Gefühl *für immer für immer verloren ich werde sie nicht wiedersehen nicht im Himmel und auf Erden ich werde sie suchen und nicht finden* das hätte ihn weinen lassen, aber er konnte hier nicht weinen, obwohl ihn nur Frau Wilms auf dem Friedhof beobachtete. Frau Wilms war seine Aufwartefrau. Sie überreichte Keetenheuve einen Strauß geknickter Astern aus dem Schrebergarten ihres Schwagers. Zur Hochzeit hatte Frau Wilms einen ähnlichen Strauß geknickter Astern gebracht. Damals sagte sie: »Sie sind ein schönes Paar!« Jetzt schwieg sie. Er war kein schöner Witwer. Immer fiel ihm Komisches ein. In der Schule hatte er, statt dem Lehrer zuzuhören, an Lächerliches gedacht, in den Ausschüssen, im Plenum sah er die würdigen Kollegen wie Clowns in der Manege agieren, und selbst in der Lebensgefahr war ihm das immer auch Groteske der Situation nicht entgangen. Witwer war ein komisches Wort, ein schaurig komisches Wort, ein etwas verstaubter Begriff aus einer geruhsameren Zeit. Keetenheuve entsann sich, als Kind einen Witwer gekannt zu haben, Herrn Possehl. Herr Possehl, Witwer, lebte noch in Eintracht mit einer geordneten Welt; die kleine Stadt respektierte ihn. Herr Possehl hatte sich eine Witwertracht zugelegt, einen steifen schwarzen Hut, einen Schwalbenschwanzrock, gestreifte Hosen und später eine immer etwas schmutzige weiße Weste, über die sich eine goldene Uhrkette spannte, an der ein Eberzahn hing; ein Symbol, daß das Tier besiegt sei. So war Herr Possehl, wenn er beim Bäcker Labahn sein Brot kaufte, eine lebendige Allegorie der Treue über den Tod hinaus, eine rührende und achtbare Gestalt der Verlassenheit.

Keetenheuve war nicht achtbar, und er rührte auch niemand. Er besaß weder einen steifen noch einen gewöhnlichen Hut, und zur Beerdigung hatte er seinen windig modischen Trenchcoat angezogen. Das Wort Witwer, das Frau Wilms nicht gesprochen hatte, das ihm aber bei Frau Wilms' geknickten Astern eingefallen war, verfolgte und verbitterte ihn. Er war ein Ritter von der traurigen, er war ein Ritter von der komischen Gestalt. Er verließ den Friedhof, und seine Gedanken eilten seinem Verbrechen zu.

Er handelte diesmal im Denken nicht intellektuell, er handelte instinktmäßig, wutgemäß, und Elke, die ihm stets vorgeworfen hatte, daß er nur in der Welt der Bücher lebe, Elke würde sich gefreut haben, wie geradewegs und folgerichtig er auf seine Tat zuging und dabei noch auf Sicherheit bedacht war, wie der Held eines Filmes. Er sah sich die Althändlergasse durchstreifen, sah sich in Kellern und Winkeln die Witwertracht kaufen. Er erstand die gestreifte Hose, den Schwalbenschwanzrock, die weiße Weste (schmutzig wie bei Herrn Possehl), den steifen würdigen Hut, eine goldene Uhrkette, und nur den Eberzahn vermochte er nicht aufzutreiben und so auch keinen Sieg über das Tier zu erringen. Im großen Kaufhof trug ihn die Rolltreppe in die Abteilung für Berufskleidung, und er erwarb einen weißen Mantel, wie ihn die Viehtreiber brauchen. Auf einem Holzplatz stahl er das Beil. Es war ganz einfach; die Zimmerleute vesperten, und er nahm das Beil aus einem Haufen Späne und ging langsam davon.

Ein weitläufiges, vielbegangenes Hotel mit mehreren Ausgängen war der Schlupfwinkel des Mörders. Hier stieg er ab, *Keetenheuve Abgeordneter des Bundestages Possehl Witwer aus Kleinwesenfeld.* Er verkleidete sich. Er hüllte sich vor dem Spiegel in die Witwertracht. Er wurde Possehl ähnlich. Er war Possehl. Er war endlich achtbar. Am Abend ging er aus, den Viehtreibermantel und das Beil unter dem Arm. In der tristen Straße leuchtete grün der Skorpion aus dem schwarzen Glas des Lokalfensters. Es war das einzige Licht in der Gegend, ein Moorlicht aus einer düsteren Geschichte. Hinter den geschlossenen verrosteten Jalousien schlummerten die kleinen Milchläden, die Gemüsehandlungen, die Bäckerei. Es roch murrig, faulig und säuerlich; es roch nach Dreck, nach Ratten, nach keimenden Kellerkartoffeln und nach dem angesetzten Hefestück des Bäckers. Aus dem »Skorpion« lockte Schallplattenmusik. Rosemary Clooney sang »Botch-a-me«. Keetenheuve stellte sich in eine Toreinfahrt. Er zog den Viehtreibermantel an, er nahm das Beil in die Hand – ein Metzger, der auf den Bullen wartet.

Der Bulle kam, die Wanowski erschien, garstig borstige Krüllhaare auf dem Bullenschädel, ein Weib, das als Schläger gefürchtet war und sich Gewalt über die Tribaden verschafft hatte; ihnen wurde wohlig weh, wenn die Wanowski auftauchte, und sie nannten sie die Landesmutter. Sie trug einen Männeranzug, den Anzug eines dicken Mannes, stramm wölbte sich das Gesäß, die überhöhten, mit Watte gepolsterten Schultern waren ein Gleichnis des Penisneides, lächerlich und furchtbar zugleich, und zwischen den schwellenden Lippen unter dem mit Kork abgebrannten Bartflaum kaute sie am häßlichen zerknatschten Stummel einer bitteren Zigarre. Kein Mitleid! Kein Mitleid mit dem Oger! Und kein Gelächter, das versöhnt! Keetenheuve hob das Beil, er schlug zu. Er schlug in das Struppwerk, in das Krüllhaar hinein, diese Matratze, mit der er sie überall bedeckt glaubte, er spaltete dem Bullen den Schädel. Der Bulle sackte ab. Er sackte zusammen. Das Bullenblut färbte den Viehtreibermantel.

Mantel und Beil warf er in den Fluß, der Witwer Possehl, er beugte sich übers Geländer der Brücke, Mantel und Beil sanken in den Flußgrund, sie waren beseitigt, das Wasser glättete sich, *Wasser von den Bergen Schneeschmelze Gletscherschutt blanke wohlschmeckende Forellen.*

Niemand hatte ihn gesehen, niemand hatte ihn sehen können, denn leider hatte er die Tat nicht getan, er hatte wieder nur geträumt, am hellen Tage geträumt und sich nicht aufgerafft, er hatte gedacht, statt zu handeln, es war ewig, ewig das alte Lied. Er hatte versagt. Vor jeder Lebensaufgabe versagte er. Er hatte neunzehnhundertdreiunddreißig versagt und neunzehnhundertfünfundvierzig versagt. Er hatte in der Politik versagt. Er hatte im Beruf versagt. Er bewältigte das Dasein nicht, wer tat das schon, Dummköpfe, es war wie ein Fluch, aber dies ging ihn allein an, er hatte auch in seiner Ehe versagt, und jetzt, da er traurig an Elke dachte, mit dem echten und gar nicht mehr lächerlichen Schmerz des Witwers, an Elke unter der Friedhofserde und schon dem Unbekannten ausgeliefert, der Verwandlung, die entsetzlich war, wenn es das Nichts war, und die entsetzlich blieb, wenn es mehr als nichts war, da schien es ihm, als könne er nicht lieben und nicht hassen, und alles war nur eine geile Fummelei, ein Betasten von Oberflächen. Er hatte die Wanowski nicht erschlagen. Sie lebte. Sie saß im »Skorpion«. Sie herrschte, sie trank, sie kuppelte unter den Tribaden. Sie hörte dem Schallplattengesang der Rosemary Clooney zu, »botch-a-me, botch-a-me« – und da legte es sich wie ein Reif um sein Herz, denn er hatte doch gemordet!

Wagalaweia, heulte die Lokomotive. Elke war zu ihm gekommen, als sie hungrig war, und er hatte damals Konserven, ein warmes Zimmer, Getränke, einen kleinen schwarzen Kater und nach langem Fasten Appetit auf Menschenfleisch, eine Formulierung, die Novalis für die Liebe gebraucht.

Er hatte nie aufgehört, sich als Deutscher zu fühlen; aber in jenem ersten Nachkriegssommer war es für einen, der elf Jahre weg gewesen war, nicht leicht, sich zu orientieren. Er hatte viel zu tun. Nach langer Brache faßte die Zeit nach ihm und nahm ihn ins Getriebe, und er glaubte damals, daß sich in der Zeit etwas erfüllen würde.

An einem Abend schaute er aus dem Fenster. Er war müde. Es dunkelte früh. Wolken drohten am Himmel. Der Wind wehte Staub auf. Da sah er Elke. Sie schlüpfte in die Ruine, die gegenüber lag. Sie schlüpfte in den Spalt in der geborstenen Mauer, in die Höhlen aus Schutt und Geröll. Sie war wie ein Tier, das sich verkriecht.

Regen schüttete herab. Er ging hinunter auf die Straße. Der Regen und der Sturm schüttelten ihn. Der Staub stürmte ihm in den Mund und in die Augen. Er holte Elke aus den Trümmern. Sie war durchnäßt und dreckig. Das besudelte Kleid klebte auf der bloßen Haut. Sie hatte keine Wäsche am Leib. Sie war nackt gegen den Staub, den Regen, die harten Steine gestellt. Elke kam aus dem Krieg und war sechzehn Jahre alt. Er mochte ihren Namen nicht. Er stimmte ihn mißtrauisch. Elke, das war ein Name aus der nordischen Mythologie, er erinnerte an Wagner und seine hysterischen Helden, an eine verschlagene, hinterlistige und grausame Götterwelt, und siehe, Elke war die Tochter eines Gauleiters und Statthalters

des Herrn. Der Gauleiter und seine Frau waren umgekommen. Sie hatten die kleine Todeskapsel des Für-alle-Fälle
geschluckt, und Elke hatte die Nachricht vom Tod der Eltern
im Wald gehört.

Sie hörte die Nachricht (und mehr als eine Nachricht war es
nicht, denn die Zeit hatte den Tag gleichsam chloroformiert,
und Elke empfand alle Stöße, als wäre sie in Watte gebettet
und würde in einer Wattekiste von groben Händen herum-
geworfen) aus einem schnaubenden, von Geheimzeichen
und Hilferufen echauffierten Rundfunkempfänger in einer
Gruppe deutscher Soldaten, die sich ergeben hatten und auf
ihren Abtransport in die Gefangenschaft warteten.

Zwei Neger bewachten sie, und Elke konnte sie nicht vergessen. Die Neger waren große schlaksige Burschen, die in
einer seltsamen und überaus sprungbereit wirkenden Ba-
lance auf ihren Fersen hockten. Das war eine Urwaldhal-
tung. Die Gewehre der Zivilisation ruhten auf ihren Knien.
An ihren Patronengurten hingen lange, verknotete Leder-
peitschen. Die Peitschen waren viel eindrucksvoller als die
Gewehre.

Zuweilen standen die Neger auf und verrichteten ihre Notdurft. Sie verrichteten ihre Notdurft mit großem Ernst und
ohne den Blick ihrer kugeligen weißunterlaufenen Augen
(die irgendwie treuherzig waren) von den Gefangenen zu
lassen. Die Neger pißten in zwei hohen Strahlen in das Gras
unter den Bäumen. Die Peitschen baumelten, während sie
pißten, gegen ihre langen schönen Schenkel, und Elke fiel
der Neger Owens ein, der in Berlin im olympischen Kampf
gesiegt hatte. Die deutschen Soldaten stanken nach Regen,
Erde, Schweiß und Wunden, sie stanken nach vielen Straßen, nach Schlaf in Kleidern, nach Siegen und nach Niederlagen, nach Furcht, nach Überanstrengung, Überdruß und
Tod, sie stanken nach dem Wort Unrecht und nach dem
Wort Vergeblich.

Und hinter dem bewachten Bezirk tauchten auf Wildpfaden, schüchtern hinter dem Gestrüpp, noch voll Angst vor den Soldaten, noch mißtrauend den Negern, Gespenster auf, abgezehrte Leiber, gebrochene Skelette, Hungeraugen und Leidensstirnen, sie kamen aus Höhlen, wo sie sich versteckt hatten, sie brachen aus den Lagern des Todes aus, sie schweiften umher, soweit sie die abgemagerten, die geschlagenen Füße trugen, der Käfig war offen, es waren die Verfolgten, die Eingesperrten, die Gehetzten der Regierung, die Elke eine schöne Kindheit beschert hatten, *Spiele auf dem Statthaltergut des Vaters, Falter schwirren über den Blumen auf der Terrasse, eine Gefangene deckt den Frühstückstisch, Gefangene harken den Kies auf den Wegen des Parkes, Gefangene sprengen den Rasen, das Pferd wird zum Morgenritt vorgeführt, Vaters blankgewichste hochschäftige Stiefel blitzen, ein Gefangener bürstete sie, das Sattelzeug knarrt, das wohlgenährte, das schön gestriegelte Pferd schnauft und scharrt mit den Hufen* – Elke wußte nicht, wie sie weitergewandert war; mal mit dem und mal mit jenem Troß.

Keetenheuves kleiner Kater war es, der Elke zutraulich stimmte. Das Mädchen und die Katze, sie waren jung, und sie spielten zusammen. Sie liebten es, Keetenheuves Manuskriptblätter zu Bällen zu zerknüllen und sich zuzuwerfen. Wenn Keetenheuve von seinen vielen Beschäftigungen, in die er sich immer weiter verstrickte und die ihn immer mehr enttäuschten, nach Hause kam, rief Elke: »Herrchen kommt!«

Herrchen war Keetenheuve wohl auch für sie. Aber bald langweilte Elke das Treiben mit dem Kater, sie wurde übellaunig, wenn Keetenheuve am Abend bei seinen Papieren saß, damals besessen von dem Gedanken, zu helfen, aufzubauen, Wunden zu heilen, Brot zu schaffen, und da ihre Freundschaft so Schiffbruch litt, ließen sie sich trauen.

Die Ehe komplizierte alles. In allen Fragebogen, die, von den Nationalsozialisten erfunden, doch erst von ihren Besiegern vollkommen entwickelt waren, in allen Fragebogen war Keetenheuve nun der Schwiegersohn des toten Gauleiters. Das befremdete viele, aber ihn scherte es nicht, denn er war gegen Sippenhaftung in allen Fällen, und so auch in dem seiner Frau. Schlimmer war es, daß die Ehe ihn innerlich befremdete. Er war ein Junggeselle, ein Alleingänger, vielleicht ein Wollüstling, vielleicht ein Anachoret, er wußte es nicht, er schwankte zwischen den Daseinsformen, aber sicher war, daß er sich mit der Ehe auf eine Erfahrung eingelassen hatte, die ihm nicht bestimmt war und die ihn überflüssig belastete. Er hatte überdies (mit Vergnügen) ein Kind geheiratet, das den Jahren nach seine Tochter sein konnte, und er mußte nun angesichts ihrer Jugend feststellen, daß er nicht erwachsen war. Sie paßten für die Liebe zusammen, doch nicht für das Leben. Er konnte begehren, aber er konnte nicht erziehen. Er hielt auch nicht viel von Erziehung, aber er sah, wie Elke unglücklich wurde vor einem Übermaß an Freiheit. Sie wußte mit der Freiheit nichts anzufangen. Sie verlor sich in ihr. Das anscheinend pflichtlose Leben war für Elke wie ein ungeheures Wasser, das sie landlos umspülte, ein Ozean der Leere, dessen unendliche Öde allein vom Gekräusel der Lust, vom Schaum des Überdrusses, vom Wind aus vergangenen Tagen belebt wurde. Keetenheuve war ein Wegweiser, der wohl an Elkes Lebenspfad gestellt war, doch nur, um sie in die Irre zu führen. Und dann erlebte Keetenheuve, was für ihn neu und (ihm nicht bestimmt) niederdrückend war, das Todtraurigsein nach vielen Vereinigungen, das Todsündegefühl der Frommen. Aber erst mal stillte er seinen Appetit. Elke brauchte viel Liebe. Sie war sinnlich, und einmal erwacht, war ihr Verlangen nach Zärtlichkeit maßlos. Sie sagte: »Halte mich fest!« Sie führte seine Hand. Sie sagte: »Fühle mich!« Sie bekam heiße Schenkel, der Leib brannte, sie gebrauchte grobe Worte, sie rief: »Nimm mich! Nimm mich!« Und er war hingerissen, er entsann sich seines Hungers, des Wanderns durch die Straßen fremder Städte, in die ihn der Abscheu vor Elkes Eltern getrieben hatte, er dachte an die Schaufenster tausendfacher Verführung, an die werbenden Puppen, ihre naiv lasziven Haltungen, an ausgebreitete Wäsche, an die Plakatdamen, die ihre Strümpfe hoch zu den Schenkeln hinaufzogen, an Mädchen, deren Sprache er nicht sprach und die wie Eis und Feuer in einem an ihm vorübergingen. Die wirkliche Wollust war ihm bisher nur im Traum erschienen, im Traum hatte er die Leiblichkeit empfunden, nur im Traum die vielen Reize der Haut, im Traum die Verschmelzung, den fremden Atem, die heißen Gerüche. Und die genossene schnelle Lust in Absteigequartieren, auf Parkbänken, in Altstadtwinkeln, was war sie gegen die erschöpfende Verführung der aneinandergereihten Sekunden, gegen die Kette der Minuten, den Ring der Stunden, das Rad der Tage, Wochen und Jahre, eine Verführung in Ewigkeit und dazu die ständige Gelegenheit des Ehebundes, die einem aus Entsetzen vor so viel Dauer das Äußerste einfallen ließ?

Elke streichelte ihn. Es war die Zeit der Stromsperren. Die Nächte bedrückten und waren dunkel. Keetenheuve hatte sich für seine Arbeit eine Batterielampe besorgt. Elke schaltete die Lampe neben dem Bett ein, und das Licht fiel grell auf die Liegenden, wie der Strahl eines Scheinwerfers auf nächtlicher Straße ein nacktes Paar umfängt. Elke betrachtete Keetenheuve lange und aufmerksam. Sie sagte: »Mit zwanzig mußt du hübsch gewesen sein.« Sie sagte: »Du hast viele Mädchen geliebt.« Er war neununddreißig. Er hatte nicht viele Mädchen gehabt. Elke sagte: »Erzähle mir was.« Sie fand sein Leben bewegt und bunt, an ihr unverständlichen Sprüngen reich, fast die Biographie eines Abenteurers.

16

Es war ihr alles fremd. Sie begriff nicht, nach welchem Stern er sich richtete. Als er ihr sagte, warum er der Politik der Nationalsozialisten ausgewichen und ins Ausland gegangen war, sah sie keinen Grund für solches Verhalten, es sei denn einen unsichtbaren, einen jedenfalls nicht greifbaren; er war eben moralisch. Sie sagte: »Du bist ein Schullehrer.« Er lachte. Aber vielleicht lachte nur sein Gesicht. Vielleicht war er immer ein alter Schullehrer gewesen, ein alter Schullehrer und ein alter Schulknabe, ein ungezogener Schüler, der die Aufgaben nicht konnte, weil er die Bücher liebte. Elke haßte mit der Zeit Keetenheuves viele Bücher, sie eiferte gegen die zahllosen Schriften, Papiere, die Hefte, die Journale, die Ausschnitte und Entwürfe, die überall herumlagen und Keetenheuve aus ihrem Bett entführten in Bezirke, zu denen sie den Weg nicht fand, in Reiche, die für sie kein Tor hatten.

Keetenheuves Beschäftigungen, seine Mitarbeit am Wiederaufbau, sein Eifer, der Nation neue Grundlagen des politischen Lebens und die Freiheit der Demokratie zu schaffen, hatten es mit sich gebracht, daß er in den Bundestag gewählt wurde. Er war bevorzugt aufgestellt worden und hatte sein Mandat bekommen, ohne sich als Wahlredner anstrengen zu müssen. Das Kriegsende hatte ihn mit Hoffnungen erfüllt, die noch eine Weile anhielten, und er glaubte, sich nun einer Sache hingeben zu müssen, nachdem er so lange abseits gestanden hatte. Er wollte Jugendträume verwirklichen, er glaubte damals an eine Wandlung, doch bald sah er, wie töricht dieser Glaube war, die Menschen waren natürlich dieselben geblieben, sie dachten gar nicht daran, andere zu werden, weil die Regierungsform wechselte, weil statt braunen, schwarzen und feldgrauen jetzt olivfarbene Uniformen durch die Straßen gingen und den Mädchen Kinder machten, und alles scheiterte wieder mal an Kleinigkeiten, an dem zähen Schlick des Untergrundes, der den Strom des frischen Wassers hemmte und alles im alten stecken ließ, in einer überlieferten Lebensform, von der jeder wußte, daß sie eine Lüge war. Keetenheuve stürzte sich zunächst mit Eifer in die Arbeit der Ausschüsse, es trieb ihn, die verlorenen Jahre einzuholen, und *wie in Blüte wäre er gewesen wenn er mit den Nazis marschiert wäre denn das war der Aufbruch der verfluchte Irrbruch seiner Generation und jetzt war all sein Eifer der Verdammnis preisgegeben der Lächerlichkeit eines grau werdenden Jünglings er war geschlagen als er anfing.*

Und was er in der Politik verlor, was ihm abgekämpft wurde und was er aufgeben mußte, das verlor er auch in der Liebe, denn Politik und Liebe, sie waren beide zu spät zu ihm gekommen, Elke liebte ihn, aber er reiste mit dem Freifahrschein der Parlamentarier Phantomen nach, dem Phantom der Freiheit, vor der man sich fürchtete, und die man den Philosophen zu unfruchtbarer Erörterung überließ, und dem Phantom der Menschenrechte, nach denen nur gefragt wurde, wenn man Unrecht erlitt, die Probleme waren unendlich schwierig, und man konnte wohl verzagen. Keetenheuve sah sich bald wieder in die Opposition gedrängt, aber die ewige Opposition machte ihm keinen Spaß mehr, denn er fragte sich: kann ich es ändern, kann ich es besser machen, weiß ich den Weg?

Er wußte ihn nicht. An jeder Entscheidung hingen tausendfache Für und Wider, Lianen gleich, Lianen des Urwalds, ein Dschungel war die praktische Politik, Raubtiere begegneten einem, man konnte mutig sein, man konnte die Taube gegen den Löwen verteidigen, aber hinterrücks biß einen die Schlange. Übrigens waren die Löwen dieses Waldes zahnlos und die Tauben nicht so unschuldig, wie sie girrten, nur das Gift der Schlangen war noch stark und gut, und sie wußten auch im richtigen Moment zu töten. Hier kämpfte er sich durch, hier irrte er. Und im Dickicht vergaß er, daß eine Sonne ihm leuchtete, daß ihm ein Wunder widerfahren war, eine liebte ihn, Elke mit ihrer schönen jungen Haut, sie liebte ihn. Kurz waren die Umarmungen zwischen den Zügen, und er eilte wieder auf Wanderschaft, ein törichter Ritter gegen die Macht, die so versippt war mit den alten Urmächten, daß sie über den Ritter lachen konnte, der gegen sie anging, und manchmal stellte sie ihm, fast aus Freundlichkeit, um seinem Eifer ein Ziel zu bieten, eine Windmühle in den Weg, gut genug für den altmodischen Don Quichotte, und Elke fiel zu Hause der Hölle in den Schoß, der Hölle des Alleinseins, der Hölle der Langeweile, der Hölle der Interesselosigkeit, der Hölle täglicher Filmbesuche, wo der Teufel einem in molliger Dunkelheit das Leben gegen ein Pseudoleben tauscht, die Seele von Schatten vertrieben wird, der Hölle der Leere, der Hölle einer qualvoll empfundenen Ewigkeit, der Hölle des bloßen vegetativen Daseins, das gerade noch die Pflanzen ertragen können, ohne den Himmel zu verlieren. »Die Sonne? Eine Täuschung«, sagte sich Elke, »das Licht ist schwarz!« *Und schön war schließlich nur die Jugend die Jugend sie kommt nicht wieder und die war abgebrochen im Mai gesenst und Keetenheuve ein guter Kerl er gehörte zu den Mähern sie hatte keinen Schullehrer gehabt jetzt hatte sie einen Schullehrer in Bonn und er gab ihr keine Aufgaben sie würde auch keine Aufgabe erfüllen wie kam sie dazu das Statthalterkind Gefangene harkten den Park,* und da kam die Wanowski zu ihr, die Wanowski mit ihren breiten gepolsterten Schultern, eine pervertierte Frauenschaftsführerin, die Wanowski mit ihrer groben tiefen befehlenden Stimme *sie erinnerte an zu Hause sie war das Elternhaus seltsam verwandelt zwar aber sie war das Elternhaus sie war die Stimme des Vaters sie war die Stimme der Mutter sie war wie die Bierabende der alten Kämpfer in die der Gauleiter geschniegelt heraufgekommen hinuntertauchte wie in ein verjüngendes Schlammbad die Wanowski sagte »komm Kind« und Elke kam,* sie kam in die Arme der Tribade, da war Wärme, da war Vergessen, da war Schutz vor der Weite,

Schutz vor der Sonne, Schutz vor der Ewigkeit, da wurden einfache Worte gesprochen, keine Abstrakta geredet, da war nicht die entsetzliche, die bedrückende, fließende, springende, sprudelnde, nie zu fassende Intellektualität Keetenheuves *der sie geraubt hatte als sie schwach war ein Schulmeister er ein Drache sie die Prinzessin nun rächte sie sich rächte sich an Keetenheuve rächte sich an dem Drachen rächte sich an dem Vater der nicht gesiegt hatte und feige gestorben war und sie den Drachen überließ rächte sich an diesem verfluchten Dasein rächte sich mit den schwulen Weibern sie waren die Höllenhunde ihrer Rache,* sie rächte sich nicht nur mit der Wanowski, denn die Wanowski befriedigte nicht nur, sie kuppelte auch und warb Jüngerinnen zum unheiligen Vestalinnendienst, sie verachtete die Männer *Waschlappen alle Waschlappen Schlappschwänze zum Glück* so konnte sie die gepolsterten Schultern zeigen, den prallen Arsch in der Männerhose, die Zigarre als letztes Glied noch im Mund, sie hätte den zu Unrecht gut ausgestatteten unfähigen Priapen gern die Frau überhaupt geraubt, ein Oger des Geschlechtsneides, eine bös und dick gewordene Penthesilea der Budiken, die ihren Achill versäumt hatte. Was die Wanowski Elke bot, war eine unwiderstehliche Bestechung, zwar Zweisamkeit und Bier. Elke fühlte sich nicht mehr verlassen, wenn Keetenheuve in Bonn weilte. Sie trank. Sie trank mit den verbitterten Tribaden, die darauf warteten, daß Elke betrunken wurde. Sie trank Flasche nach Flasche. Sie bestellte das Bier durch das Telephon, und es kam in sogenannten Gebinden, viereckigen eisernen Flaschenkörben, ins Haus. Wenn Keetenheuve von der Reise zurückkam, huschten die kessen Väter mit höhnischem Grinsen wie gesättigte Ratten durch die Tür. Er schlug nach ihnen; sie huschten in ihre Verstecke. Im Zimmer stank es nach Weiberschweiß, nach fruchtloser Erregung, sinnloser Ermattung und nach Bier Bier Bier. Elke war blöd vom Bier, ein Kretin,

der lallte. Der Speichel tropfte aus dem hübschen, dem rot-
geschminkten, dem liebenswerten Mund. Sie lallte: »Was
willst du hier?« Sie lallte: »Ich hasse dich!« Sie lallte: »Ich
lieb ja nur dich.« Sie lallte: »Komm ins Bett.« *Die Sonne war
schwarz.*
Konnte er kämpfen? Er konnte nicht kämpfen. Die Weiber
saßen in den Rattenlöchern. Sie beobachteten ihn. Und im
Bund saßen andere – Männer – in den Verstecken, und auch
sie beobachteten ihn. Er beugte sich über Elkes Mund, der
Biergeist, Sankt Spiritus, der Flaschenteufel stieg ihm mit
ihres Atems Hauch entgegen, es ekelte ihn, und doch fühlte
er sich angezogen, und schließlich war er es, der sich dieser
Schwäche hingeben mußte. Am Morgen versöhnten sie sich.
Meist war es ein Sonntagmorgen. Die Glocken riefen zur
Kirche. Keetenheuve war es recht, daß die Glocken riefen,
ihn riefen sie nicht, und vielleicht bedauerte er es sogar, daß
sie ihn nicht ansprachen, aber Elke fühlte sich von jeder
Aufforderung wie von einem Fordern bewegt, der Anspruch
von etwas Absolutem trat mit dem Klang der Glocken gegen
sie auf, und sie wehrte sich dagegen. Sie rief: »Ich hasse das
Bimmeln. Es ist gemein, so zu bimmeln.« Er mußte sie beru-
higen. Sie weinte. Sie fiel in Düsternis. Sie fing an, Gott zu
beschimpfen. Elkes Gott war ein böser Gott, ein Ungeheuer
mit der Wollust des Quälens. »Es ist kein Gott da«, sagte
Keetenheuve, und er nahm ihr den letzten Trost, den Glauben an einen blutigen Götzen. Sie sangen im Bett Kinderlie-
der, sprachen Abzählverse. Er liebte sie. Er ließ sie fallen.
Ihm war ein Mensch überantwortet, und er ließ ihn fallen.
Er reiste den Gespinsten nach, rang in den Ausschüssen um
nebelhafte Menschenrechte, die nicht erkämpft wurden, es
war ganz überflüssig, daß er in den Ausschüssen agierte, er
würde für niemand etwas erreichen, aber er reiste hin und
ließ Elke, das einzige Wesen, das ihm anvertraut, das seine
Aufgabe war, in Verzweiflung verfallen. Die kessen Väter

töteten sie. Das Bier tötete sie. Einige Drogen kamen hinzu. Aber eigentlich hatte sie die Verlassenheit erstickt, eine Ahnung von Ewigkeit und Nichtewigkeit, das All, so endlich und so unendlich, das All in seinem schwarzen Licht, mit seinem schwarzen unbegreiflichen Himmel jenseits aller Sterne. *Keetenheuve Schulmeister, Keetenheuve Mädchenräuber, Keetenheuve Drachen aus der Sage, Keetenheuve Possehl Witwer, Keetenheuve Moralist und Lüstling, Keetenheuve Abgeordneter, Keetenheuve Ritter der Menschenrechte, Keetenheuve Mörder*

In einer Zeitung das Antlitz des Weisen ein alter Mann ein gütiges Gesicht unter schlohweißem Haar eine Gestalt in eines Gärtners vielgetragener Kluft Einstein der ein Irrlicht jagte und ein Irrlicht fand und die klare schöne Formel der letzten Gleichung Vergattung der Erkenntnisse Harmonie der Sphären die einheitliche Feldtheorie der Naturgesetze der Gravitation und der Elektrizität zurückgeführt auf den gemeinsamen Ursprung der Gleichung IV

Wagalaweia. Sanft, heißt es, sei der Schlaf des Gerechten. Doch kann er schlafen? Im Schlaf kamen die Träume, die keine Träume waren, Angst und Gespenster. Im Zuge ostwestlich gebettet, die geschlossenen Augen gen Westen gerichtet, was hätte Keetenheuve sehen können? Die Saar, das schöne Frankreich, die Benelux-Staaten, das ganze Kleineuropa, die Montanunion. Und Waffenlager? Waffenlager. Man umschlich die Grenzen. Man tauschte Noten aus. Man schloß Verträge. Man spielte wieder. Das alte Spiel? Das alte Spiel. Die Bundesrepublik spielte mit. Man korrespondierte mit den Amerikanern in Washington und rieb sich an den Amerikanern in Mannheim. Der Kanzler saß an manchem runden Tisch. Gleichberechtigt? Gleichberechtigt. Was lag hinter ihm? Verteidigungslinien, Flüsse. Verteidigung am Rhein. Verteidigung an der Elbe. Verteidigung an der Oder. Angriff über die Weichsel. Und noch? Ein Krieg.

Gräber. Vor ihm? Ein neuer Krieg? Neue Gräber? Rückzug auf die Pyrenäen? Die Karten wurden neu gemischt. Wer nannte den Außenminister einer Großmacht einen gelackten Affen? Ein alter Hase aus der Wilhelmstraße. Er fühlte sich schon wieder auf dem Wege zur Großmacht, hetzte die alte Rennstrecke, nun durch die Koblenzer Straße, die Zunge heraus, und am Anfang und am Ende, da saßen der Swingel und seine Frau. Auf dem Rhein kämpfte ein Schleppzug müde gegen die Strömung. Im Nebel glitten die Kohlenkähne wie tote Wale durch das Wasser.

Hier hatte der Hort gelegen, unter den Wellen das Gold, in einer Felsenhöhle, der verborgene Schatz. Er wurde geraubt, gestohlen, unterschlagen, verflucht. List, Hinterlist, Lug, Trug, Mord, Tapferkeit, Treue, Verrat und Nebel in Ewigkeit, Amen. Wagalaweia, sangen die Töchter des Rheins. Verdauung, Verwesung, Stoffwechsel und Zellerneuerung nach sieben Jahren war man ein anderer, doch auf dem Feld der Erinnerung lagerten Versteinerungen – ihnen hielt man die Treue.

Wagalaweia. In Bayreuth schwebten die Mädchen in Schaukeln über die Bühne, glitzernde Huldinnen. Den Diktator hatte der Anblick belebt, warm war es ihm ins Mark gestiegen, die Hand überm Koppelschloß, das Schmachthaar in die Stirn, die Mütze geradegerückt, aus dumpfem Brüten entfaltete sich Zerstörung. Und schon empfing man die Hohen Kommissare, die Arme geöffnet, an die Brust! an die Brust! Tränen flossen, Tränen der Rührung, Salzbächlein des Wiedersehens und des Verzeihens, grau geworden war die Haut, ein wenig Wangenrot schwamm mit den Tränen mit, und Wotans Erbe war wieder gerettet.

Fahnen bieten sich immer, zerknitterte Prostituierte. Die Fahnen zu hissen, ist jeweils Pflicht. *Ich hisse heute diese Fahne und morgen die andere Fahne ich erfülle meine Pflicht.* Die Fahnen klirren im Wind. O Hölderlin, was klirrt denn

23

so? Die scheppernde Phrase, die hohlen Knochen der Toten. Die Gesellschaft harrte mal wieder aus, hohe Aufgaben waren zu erfüllen, das Vermögen zu retten, Tuchfühlung zu halten, der Besitz zu wahren, der Anschluß nicht zu verlieren, denn das Dabeisein ist alles, in den Schöpfungen der Haute Couture und im gebügelten Frack und, wenn es anders nicht geht, mit dem Marschtritt der langschäftigen Stiefel. Es kleidet der Frack den Träger, aber schmuck und prall sitzt die Uniform. Sie verleiht Größe, sie gibt Sicherheit. Keetenheuve machte sich nichts aus Uniformen. Machte er sich auch nichts aus Größe, nichts aus Sicherheit?

Er hatte geträumt. In unruhigen Schlaf gefallen, hatte er geträumt, er reise zu einer Wahlversammlung. Der kleine Bahnhof lag in einem Tal. Niemand war erschienen, den Abgeordneten zu begrüßen. Von Fahrzeugen leer liefen die Schienen ins Unendliche. Neben den Schwellen dorrte Gras. Disteln umrankten den Schotter. Vier Hügel waren der Ort, auf den Hügeln der katholische Dom, die protestantische Kirche, das Kriegerdenkmal aus unfruchtbarem Granit, das Gewerkschaftshaus lieblos und schnell errichtet aus rohem Holz. Die Bauten standen einsam wie die griechischen Tempel in der traurigen Landschaft von Selinunt. Sie waren Vergangenheit, Staub der Geschichte, Klios erstarrte Losung, kein Mensch kümmerte sich um sie, doch ihm war befohlen, einen der Hügel hinauf, zu einer der Stätten zu laufen, anzuklopfen und zu rufen: »Ich glaube! Ich glaube!«

Ihm war heiß. Irgend jemand mußte die Heizung im Wagen angedreht haben, obwohl die Nacht warm war. Er schaltete das Licht ein. Er sah auf die Uhr. Es war fünf. Der Sekundenzeiger kreiste rot über dem Blatt mit den phosphoreszierenden Ziffern wie eine Warnung vor Überdruck und Explosionsgefahr. Keetenheuves Zeit lief ab. Sie verrann phosphoreszierend, wie zu sehen war, und sinnlos, was weniger zutage trat. Die Räder des Zuges führten ihn sinnlos unleuchtenden Zielen zu. Hatte er seine Zeit genützt? Nützte er den Tag? Lohnte es sich? Und war die Frage nach einem Lohn der Zeit nicht schon wieder eine Äußerung menschlicher Perversion? »Einen Zweck gibt es nur in der Verderbtheit«, hatte Rathenau meditiert, und so fühlte Keetenheuve sich verderbt. Er hatte, älter geworden, die Empfindung, noch gar nicht richtig auf die Bahn der Zeit gesetzt und doch schon am Ende seines Lebenspfades zu sein. Es war so viel passiert, daß er meinte, er sei immer nur stehengeblieben und nie vorangekommen; die Katastrophen, die er erlebt hatte, das turbulente Weltgeschehen, Geschichtsuntergänge, Aufbrüche neuer Epochen, deren Abendfeuer und Morgenrot (wer wußte es?) auch sein Gesicht färbte und gerbte, dies alles ließ ihn mit fünfundvierzig Jahren wie einen Jungen zurück, der einen Räuberfilm gesehen hatte und sich die Augen rieb, töricht hoffnungsvoll, töricht enttäuscht und töricht lasterhaft. Er streckte die Hand aus, um die Heizung abzustellen; doch der Hebel stand über dem Zeichen *Kalt*. Vielleicht mußte man die Heizung von einem ferneren Hebel lenken, vielleicht bestimmte ein Zugführer die Temperatur in den Wagen; vielleicht war aber auch gar keine Heizung eingeschaltet, und es war nur die Nacht, die Keetenheuve bedrückte. Er legte sich auf das Polster zurück und schloß wieder die Augen. Auf dem Gang regte sich nichts. Die Fahrgäste lagen in ihren Pferchen, dem Vergessen überliefert.

Und wenn er nicht wiedergewählt wurde? Ihm graute vor der Ochsentour der Wahlschlacht. Immer mehr scheute er Versammlungen, die häßliche Weite der Säle, den Zwang, durch das Mikrophon sprechen zu müssen, die Groteske, die eigene Stimme in allen Winkeln verzerrt aus den Lautsprechern bullern zu hören, ein hohlklingendes und für Keetenheuve schmerzlich hohnvolles Echo aus einem Dunst von Schweiß, Bier und Tabak. Als Redner überzeugte er nicht.

Die Menge ahnte, er zweifele, und das verzieh sie ihm nicht. Sie vermißten bei Keetenheuves Auftritt das Schauspiel des Fanatikers, die echte oder gemimte Wut, das berechnete Toben, den Schaum vor dem Maul des Redners, die gewohnte patriotische Schmiere, die sie kannten und immer wieder haben wollten. Konnte Keetenheuve ein Protagonist des Parteioptimismus sein, konnte er die Kohlköpfe im abgesteckten Beet der Parteilinie nach der Sonne des Programms ausrichten? Phrasen sprangen vielen wie quakende Frösche vom Mund; aber Keetenheuve grauste es vor Fröschen.

Er wollte wiedergewählt werden. Gewiß, das wollten sie alle. Aber Keetenheuve wollte wiedergewählt werden, weil er sich für einen der wenigen hielt, die ihr Mandat noch als eine Anwaltschaft gegen die Macht auffaßten. Aber was war dazu zu sagen? Sollte er die Hoffnung malen, den alten Silberstreifen aufziehen, der vor jeder Wahl aus der Kiste geholt wird wie der Baumschmuck zu Weihnachten (die Partei verlangte es), die Hoffnung, daß alles besser wird, diese Fata Morgana für Einfältige, die sich nach jedem Plebiszit in Rauch auflöst, als wären die Stimmzettel in des Hephaistos Esse geworfen? Doch konnte er es sich leisten, sich nicht anzupreisen? War er eine gesuchte Ware, ein Star des politischen Kintopps? Die Wähler kannten ihn nicht. Er tat, was er tun konnte, aber das meiste tat er in den Ausschüssen, nicht im Plenum, und die Arbeit der Ausschüsse geschah geheim und nicht vor den Augen der Nation. Korodin von der anderen Partei, sein Gegner im Ausschuß für Petitionen, nannte Keetenheuve einen Menschenrechtsromantiker, der Verfolgte suchte, Geknechtete, um ihnen die Ketten abzunehmen, Leute, denen Unrecht widerfahren, Keetenheuve war immer auf der Seite der Armen und der Sonderfälle, er stand den Unorganisierten bei und nie den Kirchen und Kartellen, doch auch den Parteien nicht, nicht unbedingt

selbst der eigenen Partei, und das verstimmte die Partei-
freunde, und manchmal schien es Keetenheuve, als ob Korodin, sein Gegner, ihn am Ende noch besser verstand als die
Fraktion, mit der er sich verbunden hatte.

Keetenheuve lag ausgestreckt und gerade unter dem Bett-
tuch. Bis zum Kinn zugedeckt, sah er wie eine Mumie des
alten Ägyptens aus. Im Abteil stagnierte Museumsluft. War
Keetenheuve ein Museumsstück?

Er hielt sich für ein Lamm. Aber er wollte vor den Wölfen
nicht weichen. Diesmal nicht. Fatal war, daß er faul war;
faul, auch wenn er sechzehn Stunden am Tage arbeitete, und
das nicht schlecht. Er war faul, weil er ungläubig, zweifelnd,
verzweifelt, skeptisch war, und sein eifriges und aufrichtiges
Vertreten der Menschenrechte war nur noch ein letzter eigensinnig spielerischer Rest von Oppositionslust und
Staatswiderstand. Ihm war das Rückgrat gebrochen, und die
Wölfe würden es nicht schwer haben, ihm alles wieder zu
entreißen.

Was konnte Keetenheuve sonst beginnen? Er konnte kochen. Er konnte ein Zimmer saubermachen. Er hatte haus-
frauliche Tugenden. Sollte er sein Gewissen pflegen, Artikel
schreiben, Kommentare in den Äther sprechen, eine öffentliche Kassandra werden? Wer würde die Artikel drucken,
wer die Kommentare senden, wer wird auf Kassandra hören? Sollte er revoluzzen? Wenn er's recht bedachte, würde
er lieber kochen. Vielleicht konnte er den Mönchen in einem
Kloster das Mahl bereiten. Korodin würde ihn empfehlen.
Korodin war Ehemann und Vater, Enkel würden ihm her-
anwachsen, er hatte seinen Glauben, er besaß ein beträchtli-
ches Vermögen und schöne Geschäftsbeteiligungen, er war
ein Freund des Bischofs und stand sich gut mit den Klöstern.

Manche in der Hauptstadt erhoben sich früh. Es war fünf
Uhr dreißig. Der Wecker schellte. Frost-Forestier war mit
dem Läuten wach. Aus keinem Traum, aus keiner Umar-

mung hatte er sich zu lösen, kein Alp hatte ihn gequält, keine Messe rief ihn, er war nicht in Furcht verstrickt.

Frost-Forestier schaltete das Licht ein, und es wurde hell in einem enormen Raum, einem prächtigen Festsaal des neunzehnten Jahrhunderts mit Stuckplafond und gedrechselten Säulen, dies war Frost-Forestiers Schlafkammer, Eßraum, Arbeitszimmer, Salon, Küche, Laboratorium, Bad. Keetenheuve erinnerte sich an die schweren Vorhänge vor den hohen Fenstern, sie waren generalsrot und standen, ständig geschlossen, wie ein Feuerwall gegen die Natur. Leise nur war das Zwitschern zu hören, das Jubelsingen, das Erwachen der Vögel draußen im Park, und was sich im Saal ereignete, war der Arbeitsbeginn in einer Fabrik, die Ankurbelung eines Fließbandes, ein Ablauf ausgeklügelter wohlberechneter Bewegungen, rationell und präzise, und Frost-Forestier war das Werk, das in Gang gesetzt wurde. Er eiferte den elektronischen Gehirnen nach.

Das war ein Knipsen und Schalten! Ein großer Funkkasten sprach Nachrichten aus Moskau. Ein kleiner Bruder des großen glühte und wartete auf seine Zeit. Eine Kaffeemaschine erhitzte sich. Aus dem Boiler stürzte das Wasser in die Brause. Frost-Forestier stellte sich unter den Strahl. Der Plastikvorhang der Duschecke blieb beiseite geschoben. Frost-Forestier übersah, während er duschte, sein strategisches Feld. Es berieselte ihn heiß und kalt. Er war ein trainierter, ein proportionierter Mann. Er frottierte sich mit einem rauhen olivgrünen Handtuch amerikanischer Herkunft, ein nackter Mann auf einem leeren Kasernenhof. Seine Haut rötete sich. In Moskau nichts Neues. Aufrufe an das Sowjetvolk. Frost-Forestier setzte die Musen ein, schaltete Musik herbei. Neben der Duschkammer war ein Reck. Frost-Forestier ging in Grundstellung; saubere Hände auf sauberen Schenkeln. Er sprang an das Reck, Aufschwung und Abschwung. Er stand wieder in Grundstellung. Sein Gesicht war ernst. Sein Geschlecht hing ruhig, wohlproportioniert zwischen den trainierten Beinen. Der Kontakt des elektrischen Rasierapparates wurde in die Dose gesteckt. Frost-Forestier rasierte sich bei leisem Schnurren. Im großen Radio gab es Störungen. Frost-Forestier stellte das große Radio ab. Der Einsatz der Musen war vorbei. Er nahm einen Wattebausch und tupfte mit einem scharfen brennenden Rasierwasser sein Gesicht ab. Der Wattebausch verschwand unter der Patentklappe eines hygienischen Eimers. Im Gesicht traten ein paar Bläschen hervor. Er zog einen Hausmantel über den Leib, ein härenes Gewand; er knüpfte es mit einem roten Schlips zu. Die Stunde des kleinen Radios war gekommen. Es knisterte und sagte: »Dora braucht Windeln.« Frost-Forestier lauschte. Das kleine Radio wiederholte: »Dora braucht Windeln.« Mehr hatte das kleine Radio nicht zu sagen.

Die Kaffeemaschine zitterte und dampfte. Ein Pfiff eilte durch ihren Flötenmund, die Fabriksirene meldete den Schichtbeginn. Frost-Forestier ließ den Kaffee in die Tasse rinnen. Die Tasse war aus altem preußischem Porzellan, eine Ziertasse für freundliche Sammler. Keetenheuve kannte die Tasse, ihr Henkel war abgebrochen. Frost-Forestier verbrannte sich, als er die gefüllte Tasse anfaßte. Auch als Keetenheuve bei ihm war, hatte sich Frost-Forestier an der Tasse verbrannt. Er verbrannte sich jeden Morgen die Finger. Die Tasse zeigte ein buntes Bild Friedrichs des Großen. Der König blickte mit dem Ausdruck eines melancholischen Windhundes von seiner Tasse in das Zimmer. Frost-Forestier nahm ein Papiertaschentuch, legte es um das Porzellan und den König und schlürfte nun endlich sein heißes schwarzes Morgengetränk.

Im ganzen war keine Viertelstunde seit dem Läuten des Weckers vergangen. Frost-Forestier öffnete das Kombinationsschloß eines Panzerschrankes. Keetenheuve amüsierte sich über den Schrank. Der Schrank war ein Geschenk an die Neugier. Dokumente, Akten, Lebensläufe, Briefe, Pläne, Filme und Tonbänder warteten hier *wie lieblich duftete dem Knaben das Eingemachte im Schrank der alten Tante,* und mancher hätte sich gern was 'rausgenommen. Auf dem Tisch aus rohem Holz, einem langen Brett, das auf vier Böcken ruhte, standen Tonaufnahmegeräte. Auch lag eine winzig kleine und eine größere photographische Kamera da. Diebesgerät! Man stahl die Sache nicht mehr, die blieb an ihrem Ort, man stahl ihren Schatten. Auch die Stimme des Menschen konnte man stehlen.

Keetenheuve ließ immer so viel herumliegen. Er war unordentlich. Frost-Forestier, ein Mann in einer politischen Stellung, setzte sich an den Schreibtisch. Er begann zu denken, er begann zu arbeiten. Drei Stunden lagen vor ihm, drei ungestörte Stunden, die wichtigsten des Tages, er konzentrierte sich, er bewältigte viel. Er legte ein Band in das Magnetophon und schaltete auf Wiedergabe. Er hörte seine eigene Stimme und eine andere Stimme aus dem Magnetophon sprechen. Hingegeben, versunken hörte Frost-Forestier den Stimmen zu. Zuweilen regten sie ihn zu einer Notiz an. Frost-Forestier hatte rote, grüne und blaue Schreibhefte. Er schrieb einen Namen auf ein Blatt. War es Keetenheuves Name? Frost-Forestier unterstrich den Namen. Er unterstrich ihn mit dem roten Stift.

General Yorck schloß die Konvention von Tauroggen. Sein König rehabilitierte ihn. General Scharnhorst rekrutierte. General Gneisenau reformierte. General Seeckt erwog, daß aus dem Osten das Licht kommt. General Tuchatschewski wollte den Teppich der Welt aufrollen. General de Gaulle war für Panzer, er wurde nicht gehört und hatte recht. General Speidel reiste zu seinen alliierten Kollegen. General Paulus saß noch immer in Rußland. General Jodl lag in seinem Grab. General Eisenhower war Präsident. Wer war der große Informator der Roten Kapelle? Frost-Forestier erinnerte sich gern seiner Tätigkeit im OKH. Er liebte Soldatenausdrücke. Er sagte einmal zu Keetenheuve: »Ich spür's im Urin.« Was spürte er im Urin? Daß sie zusammenkommen würden?

Der Morgen drängte sich durch das Rouleau. Keetenheuve lüpfte die Decke. Zugwind traf ihn *Freud oder das Unbehagen in der Kultur. Im Berliner Café diskutierte man die Schulen der Psychoanalytiker. Tulpe war Kommunist. Keetenheuve war Bürger. Es war die Zeit, als Bürger und Kommunisten noch miteinander sprachen. Gut so. Sinnlos. Vergeblich. Mit Blindheit geschlagen? Mit Blindheit geschlagen.* Es war Erich, der Keetenheuve in ein Gewerkschaftshaus geführt hatte. Erich wollte ihn zu etwas einladen, und Keetenheuve mußte die Einladung annehmen, obwohl er nicht hungrig war. Ein kleiner verhärmter Mann mit einem großen Schnauzbart, der für sein eingefallenes Gesicht zu gewaltig war, um Respekt einzuflößen, brachte ihnen schwarzverbrannte Kartoffelpuffer und eine Brauselimonade, die nach künstlichem Pudding schmeckte. Als Keetenheuve die Puffer gegessen und die Limonade getrunken hatte, fühlte er sich revolutionär. Er war jung. Die Stadt war klein, stumpfsinnig, engherzig, und das Gewerkschaftshaus galt als Feste des Aufruhrs. Doch nie kam es zu der Erhebung, von der die Knaben träumten, nie, nie, nie, was blieb und immer wiederkehrte, waren die schwarzverbrannten Kartoffelpuffer der Armut, war der mattrosa Trank der Evolution, eine Limonade aus synthetischen Säften, aufbrausend, wenn man die Flasche öffnete, und aufstoßend, wenn man sie getrunken hatte.

Erich war umgekommen. In der kleinen Stadt hatte man später eine Straße nach ihm genannt; aber die Leute, stumpfsinnig, engherzig, vergeßlich wie eh und je, nannten die Gasse weiter die Kurze Reihe. Keetenheuve fragte sich immer wieder, ob Erich wirklich für seine Überzeugung gestorben war, denn er mußte den Glauben der Jugend damals schon verloren haben. Vielleicht aber hatte Erich sich im Augenblick seines Todes wieder zu dieser Hoffnung bekannt, und das nur, weil die Menschen der kleinen Städte in jenen Tagen gar so entsetzlich waren. Die Gesetzlosigkeit schlug Erich auf dem Markt, aber der Ekel war es, der ihn tötete.

Keetenheuve klappte den Deckel der Waschgelegenheit hoch, Wasser floß in das Becken, er konnte sich waschen, konnte die Reinigung des Pontius Pilatus vornehmen, wieder einmal, wieder einmal aufs neue, gewiß, er war unschuldig, ganz unschuldig am Lauf der Welt, aber gerade weil er unschuldig war, stand vor ihm die uralte Frage, was ist Unschuld, was Wahrheit, o alter Statthalter des Augustus. Er sah sich im Spiegel.

Die Augen, der Brille ledig, blickten gutmütig, und einen gutmütigen Trottel hatte ihn der Kollege vom »Volksblatt« genannt, am letzten Abend, als er ihn zum letzten Male sah. Das war vor zwanzig Jahren gewesen, an dem Tag, an dem der Kommissar in das »Volksblatt« einzog. Die jüdischen Redakteure flogen gleich, kluge Leute, gewandte Leitartikler, hervorragende Stilisten, die alles falsch vorausgesehen, alles falsch gemacht hatten, ahnungslose Kälber im Gatter des Schlachthofes; die anderen bekamen die Chance, sich zu bewähren. Keetenheuve verzichtete auf die Bewährung. Er holte sein Gehalt und reiste nach Paris. Er reiste freiwillig, und niemand hinderte ihn. In Paris fragte man verwundert: Was wollen Sie eigentlich bei uns? Erst als die Soldaten über die Champs Elysées marschierten, hätte Keetenheuve es erklären können. Aber da war er auf dem Wege nach Kanada; zusammen mit deutschen Juden, zusammen mit deutschen Antifaschisten, deutschen Nationalsozialisten, jungen deutschen Fliegern, deutschen Seeleuten und deutschen Hand-

32

lungsgehilfen schwamm er tief unten im Bauch eines Schiffes von England nach Kanada. Der Kommandant des Dampfers war ein gerechter Mann; er haßte sie alle gleichermaßen. Und Keetenheuve war es nun, der sich fragte: Was will ich hier, was tue ich hier, nur nicht teilhaben, nur die Hände in Unschuld waschen, ist das genug?

Keetenheuves Kopf saß, wo er hingehörte, kein Fallbeil hatte ihn vom Rumpf getrennt. Sprach das gegen Keetenheuve, oder sprach es, wie einige meinten, gegen die Gewerkschaft der Henker in der Welt? Keetenheuve hatte viele Feinde, und es gab keinen Verrat, dessen man ihn nicht zieh. So hätte mich Georges Grosz gemalt, dachte er. Sein Gesicht trug nun schon sehr den Ausdruck der herrschenden Schicht. Er war des Kanzlers getreuer Abgeordneter und Oppositioneller in Ergebenheit; ach ja, in Ergebenheit.

Halbakt eines Managers – so stellte ihn der Spiegel dar. Spiegelein, Spiegelein an der Wand, fleischig war er nun, die Muskeln ungeübt, die Haut schimmerte weiß mit einem blauen Unterton wie Magermilch in den Kriegen, entrahmte Frischmilch hieß es, o schönes Wort des staatlichen Euphemismus, man zählte zu den Gemäßigten, man fand sich ab, man richtete sich ein, man vertrat behutsame Reformen im Rahmen der Tradition, man hatte Kreislaufstörungen und war lüstern *(kiss me) you will go*. Er war ein stattlicher Mann. Er verdrängte mehr Luft, als er je erwartet hatte, Luft zu verdrängen. Wie war der Geruch um ihn? Lavendelwasser, eine Erinnerung an das Empire, die langen Gänge des Hier-ist-England *(kiss me) you will go*. Keetenheuve war keine durchschnittliche Erscheinung der parlamentarischen Elite. Das konnte er mit diesen Augen schon nicht sein; sie waren eben zu gutmütig. Wer wollte gutmütig geschimpft werden und in den Ruf des Trottels kommen? Und dann der Mund – er war zu schmal, zu verschlossen *Schulmeister Schulmeister* er war nicht gesprächig, er beunruhigte, und so war Keetenheuve nie ganz enträtselt; »he was a handsome man and what I want to know is how do you like your blue-eyed boy Mr. Death«. Keetenheuve war ein Kenner und Liebhaber der zeitgenössischen Lyrik, und manchmal belustigte es ihn, während er im Plenum einem Redner zuhörte, daran zu denken, wer im Saal außer ihm wohl Cummings gelesen habe. Das unterschied Keetenheuve von der Fraktion, bewahrte ihm Jugend und machte ihn unterlegen, wenn es hieß, rücksichtslos zu sein. Die schmalen Zeitschriften, gegründet gestorben, die Blätter, der Dichtkunst geweiht, rieben sich an den Akten in Keetenheuves Handtasche, seltsamerweise, ja seltsam fürwahr, die Gedichte des experimentierenden Dichters E. E. Cummings scheuerten in der Aktenmappe eines deutschen Bundestagsabgeordneten die gefärbten Pappen der Schnellhefter *Vertraulich, Dringend, Geheim (kiss me) you will go*

Keetenheuve trat in den Gang hinaus. Viele Wege führten zur Hauptstadt. Auf vielen Wegen wurde zur Macht und zur Pfründe gereist.

Sie kamen alle, Abgeordnete, Politiker, Beamte, Journalisten, Parteibüffel und Parteigründer, die Interessenvertreter im Dutzend, die Syndiken, die Werbeleiter, die Jobber, die Bestecher und die Bestochenen, Fuchs, Wolf und Schaf der Geheimdienste, Nachrichtenbringer und Nachrichtenerfinder, all die Dunkelmänner, die Zwielichtigen, die Bündlerischen, die Partisanwahnsinnigen, alle, die Geld haben wollten, die genialen Filmer zu *Heidelberg am Rhein auf der Heide in der Badewanne für Deutschland am Drachenstein,* die Schnorrer, Schwindler, Quengler, Stellenjäger, auch Michael Kohlhaas saß im Zug und Goldmacher Cagliostro, Fememörder Hagen witterte ins Morgenrot, Kriemhild hatte Rentenansprüche, das Geschmeiß der Lobby lugte und horchte, Generäle noch im Anzug von Lodenfrey marschierten zur Wiederverwendung auf, viele Ratten, viele gehetzte Hunde und viele gerupfte Vögel, sie hatten ihre Frauen besucht, ihre Frauen geliebt, ihre Frauen getötet, sie hatten ihre Kinder in den Eisladen geführt, sie hatten dem Fußballspiel zugesehen, sie waren im Meßgewand dem Priester zur Hand gegangen, sie hatten Diakonissendienste geleistet, sie waren von ihren Auftraggebern gescholten worden, von ihren Hintermännern angetrieben, sie hatten einen Plan entworfen, eine Marschroute aufgestellt, sie wollten ein Ding drehen, sie machten einen zweiten Plan, sie hatten am Gesetz gearbeitet, in ihrem Wahlkreis gesprochen, sie wollten oben bleiben, an der Macht bleiben, beim Geld bleiben, sie strebten der Hauptstadt zu, der Hauptstadt der Kleinstadt, über die sie witzelten, und sie begriffen nicht das Wort des Dichters, daß die innerste Hauptstadt jedes Reiches nicht hinter Erdwällen liegt und sich nicht erstürmen läßt.

Freie Bahn dem Volksvertreter, Spott aus dem billigsten Ramschladen, schon zu des Kaisers Zeit mit Bart verkauft *ein Leutnant und zehn Mann Deutschland erwache an die Latrine geschrieben,* man sah vor lauter Bart den Witz nicht mehr. Was meinte das Volk, und wer war das eigentlich, das Volk, wer war es im Zug, wer auf der Straße, wer auf den Bahnhöfen, war es die Frau, die nun in Remagen die Betten ins Fenster legte, Geburtsbetten Kopulationsbetten Sterbebetten, Granatsplitter hatten das Haus getroffen, war es die Magd mit dem Melkeimer, die zum Stall wankte, so früh schon auf so früh schon müde, war er, Keetenheuve, das Volk? Er sträubte sich gegen den simplifizierenden Plural. Was sagte das schon, das Volk, war es eine Herde, zu scheren, zu scheuchen, zu leiten, setzte es sich aus Gruppen zusammen, die je nach Bedarf und nach der Sprechweise der Planer einzusetzen waren, in die Schlacht zu werfen, ins Grab zu treiben, der deutsche Junge im Einsatz, das deutsche Mädchen im Einsatz, oder waren Millionen von einzelnen das Volk, Wesen ein jedes für sich, die für sich dachten, die selber dachten, die sich voneinander fort dachten, auseinander dachten, zu Gott hin dachten, zum Nichts hin oder in den Irrsinn hinein, die nicht zu lenken, nicht zu regieren, nicht einzusetzen, nicht zu scheren waren? Keetenheuve wäre es lieber gewesen. Er gehörte einer Partei an, die auf die Mehrheit setzte. Was meinte also das Volk? Das Volk arbeitete, das Volk bezahlte den Staat, das Volk wollte vom Staat leben, das Volk schimpfte, das Volk frettete sich so durch.

Es sprach wenig von seinen Deputierten. Das Volk war nicht so artig wie das Volk im Schullesebuch. Es faßte den Abschnitt Staatsbürgerkunde anders auf als die Verfasser auf. Das Volk war neidisch. Es neidete den Abgeordneten den Titel, den Sitz, die Immunität, die Diäten, den Freifahrschein. Würde des Parlaments? Gelächter in den Schenken, Gelächter auf den Gassen. Die Lautsprecher hatten das Parlament in den Stuben des Volkes entwürdigt, zu lange, zu willig war die Volksvertretung ein Gesangsverein gewesen, ein einfältiger Chor zum Solo des Diktators. Das Ansehen der Demokratie war gering. Sie begeisterte nicht. Und das Ansehen der Diktatur? Das Volk schwieg. Schwieg es in weiterwirkender Furcht? Schwieg es in anhänglicher Liebe? Die Geschworenen sprachen die Männer der Diktatur von jeder Anklage frei. Und Keetenheuve? Er diente der Restauration und reiste im Nibelungenexpreß.

Nicht alle Abgeordneten reisten im Bundesbahnbett. Andere kamen im Auto zur Hauptstadt gefahren, quittierten das Kilometergeld und standen sich gut dabei; sie waren die schärferen Hechte. Auf der Rheinstraße brausten die schwarzen Mercedeswagen neben dem Wasser stromabwärts. Stromabwärts der Schlick, stromabwärts das Treibholz, stromabwärts Bakterien und Kot und die Laugen der Industrie. Die Herren hockten neben ihrem Fahrer, sie

36

hockten hinter ihrem Fahrer, sie waren eingenickt. Die Familie hatte einen strapaziert. Körperabwärts, unter dem Mantel, der Jacke, dem Hemd, lief der Schweiß. Schweiß der Erschöpfung, Schweiß der Erinnerung, Schweiß des Schlummers, Schweiß des Sterbens, Schweiß der Neugeburt, Schweiß des Wohingefahrenwerdens und wer weiß wohin, Schweiß der nackten, der bloßen Angst. Der Fahrer kannte die Strecke und haßte die Gegend. Der Fahrer konnte Lorkowski heißen und aus Masuren sein. Er kam aus den Tannenwäldern; da lagen Tote. Er gedachte der Seen in den Wäldern; da lagen Tote. Der Abgeordnete hatte ein Herz für die Vertriebenen. Das soll hier nun schön sein, dachte Lorkowski, ich scheiß' doch auf den Rhein. *Er schiß auf den Rhein, Lorkowski, Abgeordnetenfahrer aus Masuren, Lorkowski, Leichenfahrer aus dem Gefangenenlager, Lorkowski, Sanitätsfahrer von Stalingrad, Lorkowski, NSKKfahrer aus Kraftdurchfreudetagen, alles Scheiße, Leichen Abgeordnete und Verstümmelte dieselbe Ladung, alles Scheiße, er schiß nicht nur auf den Rhein.*

»Puppe.«

Der Interessenvertreter verließ den Abort, schlenkerte das Hosenbein, nichts Menschliches war ihm fremd. Er trat zu den anderen Interessenvertretern in den Vorraum des Wagens, ein Mann unter Männern.

»Bißchen blaß ist sie.«

»Macht nichts.«

»Durchgeschüttelt, durchgerüttelt, durchgerollt.«

»Zu lange unten gelegen.«

Wagalaweia.

Das Mädchen kam wehenden Gewandes, Engel des Schienenstranges, ein Nachtengel wehenden Nachtgewandes, Spitzen streiften den Staub Rotz und Dreck des gefirnißten Ganges, Brustspitzen, pralle Knospen rieben die Gewandspitzen, die Füße trippelten in zierlichen Pantöffelchen,

Bändergeschnür, *die Füße der Salome sind wie kleine weiße Tauben sind,* die Zehennägel leuchteten rot, verschlafen war das Kind, launisch, mürrisch, viele Mädchen trugen den Ausdruck des Mürrischen im hübschen Puppengesicht, es war eine Mädchenmode, mürrisch zu sein, im Hals kratzte der Raucherhusten, die Männer sahen zu, wie das Mädchen trippelnd, lackiert, hochbeinig, hübsch und mürrisch auf den Lokus ging. Parfum kitzelte die Nasen und mischte sich hinter der Tür mit des Interessenvertreters strengem Ablauf am Abend genossener Bockbiere – an ihm war Hopfen und Malz nicht verloren.

»Feinen Koffer haben Sie da. Richtige Diplomatenkiste. Wie neu aus dem AA. Schwarzrotgoldene Streifen.«

»Schwarzrotmostrich, wie wir früher sagten.«

Wagalaweia.

Der Rhein schlängelte sich nun, ein gewundenes, silbernes Band, durch flache Ufer. Fern aus dem Frühdunst wölbten sich Berge. Keetenheuve atmete die milde Luft, und schon spürte er, wie sehr sie ihn traurig stimmte. Verkehrsvereine, Fremdenlockbetriebe nannten das Land die rheinische Riviera. Ein Treibhausklima gedieh im Kessel zwischen den Bergen; die Luft staute sich über dem Strom und seinen Ufern. Villen standen am Wasser, Rosen wurden gezüchtet, die Wohlhabenheit schritt mit der Heckenschere durch den Park, knirschenden Kies unter dem leichten Altersschuh, Keetenheuve würde nie dazu gehören, nie hier ein Haus haben, nie Rosen schneiden, nie die Edelrosen, die Nobiles, die Rosa indica, er dachte an die Wundrose, Erysipelas traumaticum, Gesundbeter waren am Werk, Deutschland war ein großes öffentliches Treibhaus, Keetenheuve sah seltsame Floren, gierige, fleischfressende Pflanzen, Riesenphallen, Schornsteinen gleich voll schwelenden Rauches, blaugrün, rotgelb, giftig, aber es war eine Üppigkeit ohne Mark und Jugend, es war alles morsch, es war alles alt, die Glieder strotzten, aber es war eine Elephantiasis arabum. Besetzt, stand auf der Klinke, und hinter der Tür pinkelte das Mädchen, hübsch und mürrisch, die Schwellen an.

Jonathan Swift, Dechant von St. Patrick zu Dublin, hatte sich zwischen Stella und Vanessa gesetzt und war empört, daß sie Leiber hatten. Keetenheuve hatte im alten Berlin den Doktor Forelle gekannt. Forelle unterhielt eine Kassenpraxis in einer Mietskaserne am Wedding. Er ekelte sich vor den Körpern, arbeitete seit Jahrzehnten an einer psychoanalythischen Studie über Swift und legte am Abend Watte um seine Türschelle, um ja nicht zu einer Geburt geholt zu werden. Nun lag er mit all den verabscheuten Leibern zusammen unter den Trümmern der Mietskaserne. Die Interessenvertreter mit entleerter Blase, befreitem lebensfrohem Gedärm schnatterten, schnodderten, sie waren ihres Appetites sicher.

»Gehen Sie man zu Hanke. Hanke war schon immer im RWM. Sagen Sie ihm, Sie kommen von mir.«

»Kann ihm schließlich keine Bockwurst vorsetzen.«

»Essen im Royal. Dreihundert. Aber wirklich erste Klasse. Rentiert sich immer.«

»Sonst sagen Sie eben dem Hanke, daß wir den Artikel dann nicht mehr herstellen können.«

»Soll sich doch der Minister um die Bürgschaft kümmern. Wozu ist er Minister?«

»Plischer war bei mir in der Fachschaft.«

»Dann verlass' ich mich auf Plischer.«

»Weiche Knie.«

Wagalaweia.

Das Mädchen, hübsch und mürrisch, trippelte ins Bett zurück. Das Mädchen, hübsch und mürrisch, war für Düsseldorf bestimmt, es konnte noch einmal ins Bett kriechen, und die Geilheit der Männer schlüpfte mit ihr, der Hübschen und Mürrischen, unter die Decke. Die Geilheit wärmte. Das

Mädchen war in der Mode tätig, Mannequinkönigin irgendeiner Wahl. Das Mädchen war arm und lebte, nicht schlecht, von den Reichen. Von Timborn öffnete die Tür seines Abteils, von Timborn wohlrasiert, von Timborn korrekt, von Timborn schon jetzt wie in Downing Street akkreditiert.

»Guten Morgen, Herr Keetenheuve.«

Woher kannte er ihn? Von einem Bankett der ausländischen Presse. Man prostete sich zu und belauerte einander. Keetenheuve erinnerte sich nicht. Er wußte nicht, wer ihm begegnete. Er nickte einen Gruß. Aber Herr von Timborn hatte ein rühmliches Personengedächtnis, und er trainierte es um seiner Karriere willen. Er stellte seinen Koffer auf das Gitter der Gangheizung. Er beobachtete Keetenheuve. Timborn schob die Lippe etwas vor, ein schnüffelndes Kaninchen im Klee. Dem Abgeordneten gab es vielleicht der Herr im Schlaf. Das Kaninchen hörte das Gras nicht wachsen, aber das Flüstern im Amt. Keetenheuve spurte schlecht, er war nicht zu lenken, er war unbequem, er eckte an, er war in seiner Fraktion das Enfant terrible, so was bekam einem im allgemeinen schlecht, konnte einem schaden, für Timborn wäre es das Ende aller Hoffnung gewesen, aber diese Außenseiter, man konnte es nie wissen, die machten mit ihren Fehlern ihr Glück. Es gab schöne Posten, Druckposten, Bundesposten, Abstellposten, fern von Madrid, und Timborn war wieder mal genasführt, trottend auf dem schmalen Pfad nicht grade der Tugend, aber des Avancements, Schritt für Schritt, Stufe für Stufe, aufwärts oder abwärts, das wußte man in dieser Zeit nicht so genau, immerhin, man saß wieder in der Zentrale, vor acht Jahren saß man in Nürnberg, vor weiteren acht Jahren hatte man auch in Nürnberg gesessen, damals auf der Tribüne, die Nürnberger Gesetze wurden verkündet, die ersten, immerhin, die Katastrophenversicherung auf Gegenseitigkeit funktionierte, man war wieder im Amt, und alles war drin, und viel konnte geschehen. Und wenn Herr Keetenheuve nun auf die Wahlen setzte, vielleicht ein Portefeuille erwartete? Dann würde Keetenheuve sich wehren. Wie dumm – Gandhi melkte nicht mehr seine Ziege. Keetenheuve und Gandhi, sie hätten Hand in Hand am Ganges spazieren können. Gandhi wäre ein Magnet für Keetenheuve gewesen. Timborn zog die Lippe wieder ein und blickte träumend über den Rhein. Er sah Keetenheuve unter Palmen – keine gute Figur. Timborn würde der Tropenanzug besser sitzen. Das Tor nach Indien war geöffnet. Alexander tötete den Freund mit dem Speer.

Der Zug hielt in Godesberg. Herr von Timborn lüftete den Hut, den korrekten, kleidsamen Mister-Eden-Filz. In Godesberg wohnten die feinen Leute, die Bruderschaft vom Protokoll. Herr von Timborn schritt elastisch über den Perron. Der Lokomotivführer fluchte. Was war das für eine Strecke! Dampf geben und drosseln. Schließlich fuhr er einen Expreß. Durch Godesberg und Bonn war man mal durchgerast. Jetzt hielt man. Die Interessenvertreter blockierten die Tür. Sie waren Ellbogenritter und die ersten in der Hauptstadt. Schulkinder liefen die Tunneltreppe herauf. Man roch die Provinz, das Muffige enger Gassen, verbauter Stuben, alter Tapeten. Der Bahnsteig war überdacht und grau –

und da vor der Sperre, in der nüchternen Halle, er betrat die Hauptstadt, hetz ihn, faß ihn, o Gott Apollon o, da packten sie ihn wieder, überkamen ihn, fielen über ihn her, da hatten ihn Schwindel und Atemnot, ein Herzkrampf schüttelte ihn, und ein eiserner Reif legte sich ihm um die Brust, wurde festgeschmiedet, wurde geschweißt, vernietet, jeder Schritt schmiedete, nietete mit, der Auftritt seiner nun steifen Beine, seiner nun tauben Füße war wie ein Hammerschlag, der Nieten in ein Wrack hämmerte auf eines Teufels Werft, und so ging er, Schritt für Schritt (wo war eine Bank, sich zu setzen? eine Mauer, sich anzuklammern?), ging, obwohl er des Ge-

hens nicht mehr fähig zu sein glaubte, nach einem Halt wollte
er tasten, obwohl er es auch wieder nicht wagte, die Hand nach
einem Halt auszustrecken, Leere, Leere dehnte sich gewaltig
in seinem Schädel aus, preßte, stieg an wie in allzuferner ver-
schwindender abschiednehmender die Erde verlassender
Höhe der Innendruck in einem Ballon, aber wie in einem Bal-
lon, der mit dem reinsten Nichts gefüllt war, einem Nichtstoff,
einem Unstoff, etwas Unbegreiflichem, das den Drang hatte
zu wachsen, das aus Knochen und Haut dringen wollte, und
schon vernahm er, vernahm er, noch ehe es soweit war, ver-
nahm er wie Eiswind das Zerreißen der Seide, und dies war
der extreme Augenblick, eine unsichtbare, selbst in der Ge-
heimschrift der Mathematik nicht mehr zu bezeichnende
Wegmarke, wo alles aufhörte, ein Weiter gab es nicht, und
hier war die Deutung, sieh!, sieh!, du wirst sehen, frage!,
frage!, du wirst hören, und er senkte den Blick, feig, feig, feig,
geschlossen blieb der Mund, arm, arm, arm, und er klam-
merte sich an, klammerte sich fest an sich selbst, und der Bal-
lon war eine enttäuschende schmutzige Hülle, er war schreck-
lich entblößt, und dann begann der Sturz. Er zeigte den
Fahrausweis vor, und seine Empfindung war, daß der Sper-
renwächter ihn nackt sah, so wie Gefängniswärter und Feldwebel den ihnen ausgelieferten Menschen vor seiner Ein-
kleidung zu Haft und Sterben sehen.
Schweiß stand auf seiner Stirn. Er ging zum Zeitungsstand.
Die Sonne war zu Besuch, kam durch ein Fenster und warf
ihr Spektrum über die neuesten Nachrichten, über das Gu-
tenbergbild der Welt, es war ein irisierendes, ein ironisches
Flimmern. Keetenheuve kaufte die Morgenblätter *Kein*
Treffen mit den Russen. Natürlich nicht. Wer wollte wen
treffen oder nicht treffen? Und wer kam schon gerannt,
wenn er gepfiffen wurde? Wer war ein Hund? Eine Verfas-
sungsklage – war man sich uneinig? Wer konnte nicht lesen?
Das Grundgesetz war geschaffen. Bereute man die Bemü-

hung? Was tat sich in Mehlem? Der Hohe Kommissar war auf der Zugspitze gewesen. Er hatte einen wunderbaren Fernblick gehabt. Der Kanzler war leicht erkrankt, aber er waltete seines Amtes. Sieben Uhr früh – er saß schon an seinem Schreibtisch. In Bonn arbeitete nicht nur Frost-Forestier. Keetenheuve war seiner Beklemmung noch nicht Herr geworden. Der Hauptsaal des Bahnhofsrestaurants war geschlossen. Keetenheuve ging in den Nebenraum, Schulkinder hockten am runden Tisch, reizlos angezogene Mädchen, Jungen, die schon Beamtengesichter hatten, verstohlen rauchten, auch sie waren fleißig, wie der Kanzler, hatten Bücher aufgeschlagen, lernten, strebten (wie der Kanzler?), eine Jugend verbissenen Gesichts, was für vernünftig galt, was dem Vorankommen diente, steuerte ihr Herz, sie dachten an den Stundenplan und nicht an die Sterne. Die Kellnerin meinte, man müsse hier Flügel haben, Keetenheuve sah sie schweben, ein Butt mit Schwingen, der Betrieb war dem Andrang nicht gewachsen, dem Auswurf der großen Züge, die Interessenvertreter schimpften, wo blieben ihre Eier, Keetenheuve bestellte ein Helles. Er verabscheute Bier, aber der bittere prickelnde Trank beruhigte diesmal sein Herz. Keetenheuve schlug die Lokalseite der Zeitung auf. Was gab es Neues in Bonn? Er war der Kurgast, der, allzulang in einen trostlosen Badeort verbannt, schließlich dem Dorfklatsch lauscht. Sophie Mergentheim hatte sich zum Wohle von Flüchtlingen mit Wasser bespritzen lassen. Sieh, sie schaffte es immer. Auf einem Empfang für Gott weiß wen hatte sie sich mildtätig unter die Gießkanne gebeugt. Sophie, Sophia, ehrgeizige Gans, sie rettete das Capitol nicht. Wer zahlte, durfte spritzen. Schöne Tulpe. Die Zeitung brachte das Bild der Sophie Mergentheim, naß im durchnäßten Abendkleid, bis in die Hose naß, naß bis auf die duftbetupfte, die puderbestreute Haut. Kollege Mergentheim stand hinter dem Mikrophon und starrte durch seine dicke schwarze Hornbrille mutig ins Blitzlicht. Zeig mir deinen Uhu! *Nichts Neues in Insterburg. Ein Hund hat gebellt.* Mergentheim war Spezialist für jüdische Witze; am alten »Volksblatt« hatte er den Humor des Tages redigiert. *Was, wer bellte in Insterburg? Gestern? Heute? Wer bellte? Juden? Schweigen. Hundewitz.* Im Kino – Willy Birgel reitet für Deutschland. *Der widerliche Schaum des Bieres auf den Lippen. Elke, ein Name aus der nordischen Mythologie. Die Nornen Urd, Werdandi und Skuld unter dem Baum Yggdrasill. Blankgewichste Stiefel. Der Tod in Kapseln. Bier über ein Grab*

II

Korodin verließ am Bahnhof die Straßenbahn. Ein Schutzmann spielte Schutzmann in Berlin am Potsdamer Platz. Er
gab die Bonner Straße frei. Es wimmelte, es schwirrte,
quietschte, klingelte. Automobile, Radfahrer, Fußgänger,
asthmagequälte Trams strebten aus engen Gassen auf den
Bahnhofsplatz. Hier waren Equipagen gerollt, Vierge-
spanne, von königlichen Kutschern gelenkt, Prinz Wilhelm
war zur Universität und so ein paar Meter näher zum hollän-
dischen Asyl gefahren, er trug einen Cutaway, das Corps-
band der Saxoborussen und ihren weißen Stürmer. Der Ver-
kehr verknäuelte sich, von Bauzäunen, Kabelgräben,
Kanalrohren, Betonmischern, Teerkochern bedrängt und
behindert. Das Knäuel, das Labyrinth, der Knoten, das Ver-
schlungene, das Geflecht, Sinnbilder des Verirrens, des Ir-
rens überhaupt, der Verknotung, des Unlösbaren, des Ver-
flochtenen, schon die Alten hatten den Fluch gespürt, die
Tücke erkannt, die List gemerkt, waren in Fallen gefallen,
hatten's erfahren, bedacht und geschildert. Die nächste Generation sollte klüger sein, sie sollte es besser haben. Seit
fünftausend Jahren! Nicht jedem war ein Schwert gegeben.
Und ein Schwert, was nützt es? Man kann mit ihm fuchteln,
man kann mit ihm töten, und man kann durch das Schwert
umkommen. Aber was ist gewonnen? Nichts. Man muß zur
rechten Zeit in Gordium erscheinen. Die Gelegenheit macht
den Helden. Als Alexander aus Mazedonien kam, war der
Knoten seines Trotzes müde. Überdies war das Ereignis belanglos. Indien wurde sowieso nicht erobert; nur die Rand-
gebiete waren ein paar Jahre besetzt, und zwischen der Be-
satzung und der Bevölkerung entwickelten sich Tauschge-
schäfte.
Was ist am wirklichen Potsdamer Platz? Ein Drahtverhau,
eine neue und recht kräftige Grenze, ein Weltende, der Ei-

serne Vorhang; Gott hatte ihn fallen lassen, Gott allein
wußte, wozu. Korodin eilte zur Haltestelle des Oberlei-
tungsbusses, des hauptstädtisch stolzen, des modernen Ve-
hikels, das zwischen den weit voneinander entfernt
liegenden Regierungsvierteln Massen transportieren
konnte. Korodin hätte es nicht nötig gehabt, sich an der Haltestelle in die Schlange der Wartenden zu reihen. Er hatte
zwei Automobile in der Garage seines Hauses. Es war ein
Akt der Bescheidenheit und der Kasteiung, daß Korodin in
öffentlichen Verkehrsmitteln zur Politik fuhr, während der
Chauffeur, bequem und morgenmunter, Korodins Kinder
im Wagen zur Schule brachte. Korodin wurde gegrüßt. Er
dankte. Er war ein Volksmann. Aber der Gruß der Unbekannten machte ihn nicht nur dankbar; er machte ihn auch
verlegen.
Der erste Bus kam. Sie drängten sich hinein, und Korodin
trat zurück, in Bescheidenheit und in Selbstkasteiung trat er
zurück, aber es ekelte ihn auch (ein sündiger Gedanke) vor
diesen hastenden, um ihr Brot kämpfenden Menschen. Da
fuhr die Fuhre zum Bundeshaus, zu den Ministerien, in die
Unzahl der Ämter, wie Sardinen waren sie zusammenge-
packt, die Schar der Sekretärinnen, das Heer der Angestell-
ten, die Kompanien der mittleren Beamten, Fische dessel-
ben Fanges, Emigranten aus Berlin, Emigranten aus
Frankfurt, Emigranten aus den Höhlen der Wolfsschanze,
mit den Ämtern mitgewandert, mit den Akten mitgebün-
delt, dutzendweise waren sie in die Wohnungen der neuen
Schnellbaublöcke gepreßt worden, hellhörige Wände trenn-
ten ihr Bett kaum von anderen Betten, immer waren sie beobachtet, nie waren sie allein, immer lauschten sie, immer
wurden sie belauscht, wer ist im Eckzimmer zu Besuch, was
wird geredet, spricht man über mich, sie schnupperten, wer
hat Zwiebel gegessen, wer badet so spät, Fräulein Irmgard,
die wäscht sich mit Chlorophyllseife, wird es nötig haben,

wer kämmte sein Haar ins Becken, wer benutzte mein Handtuch, gereizt, vergrämt, versauert, verschuldet waren sie, von ihren Familien getrennt, sie trösteten sich, aber sie trösteten sich nicht oft, überdies waren sie am Abend zu müde, sie rackerten sich ab, sie tippten die Gesetze, sie schufteten Überstunden, sie opferten sich auf für den Chef, den sie haßten, den sie belauerten, gegen den sie hetzten, dem sie anonyme Briefe schrieben, dem sie den Kaffee wärmten, dem sie Blumen ans Fenster stellten – und stolz schrieben sie nach Hause, schickten blasse Boxbilder, die sie im Garten des Ministeriums zeigten, oder kleine Leica-schüsse, die der Chef im Büro geknipst hatte: sie waren bei der Regierung tätig, sie verwalteten Deutschland. Korodin fiel ein, daß er noch nicht gebetet hatte, und er entschloß sich, aus dem Strom zu gleiten und eine Teilstrecke zu Fuß zu gehen.

Keetenheuve hatte seine Wohnung im Bonner Abgeordne-ten-Getto an diesem Morgen nicht aufgesucht, für ihn war sie ein bloßes Pied-à-terre der Unlust, eine Puppenstube der Beengung *morgen Kinder wird's was geben morgen werden wir uns freun,* was sollte er da; was er brauchte, trug er bei sich in der Aktenmappe, und selbst dies war noch Ballast auf der Wanderschaft. Auch Keetenheuve hatte den Bus ver-schmäht. Auf dem Münsterplatz traf Keetenheuve Korodin, den Bescheidenen. Korodin hatte zum heiligen Cassius und zum heiligen Florentius gebetet, den Beschützern dieser Stätte, er hatte ihnen die Sünde des Hochmuts bekannt *ich danke dir Gott daß ich nicht bin wie diese hier,* und er hatte sich selbst und vorläufig und für diesen Tag von der Schuld absolviert. Daß Keetenheuve ihn zur Münstertür hinaustre-ten sah, machte Korodin aufs neue verlegen. Waren die Heiligen durch das Gebet des Abgeordneten nicht versöhnt worden, und straften sie nun Korodin, indem sie ihm Kee-tenheuve in den Weg stellten? Vielleicht aber war die Begegnung auch das schöne Walten der Vorsehung und ein Zeichen, daß Korodin in Gnade stand.

Es galt als ungewöhnlich, wenn Abgeordnete einander feindlicher Parteien, mochten sie auch in den Ausschüssen zusammenarbeiten, gelegentlich sogar zusammenhalten, selbzweit spazierten. Für jeden war es anrüchig, mit dem andern gesehen zu werden, und für die Parteileiter war es ein Anblick, als wandele einer aus ihrer Herde öffentlich mit einem Strichjungen und zeige schamlos seine perverse Veranlagung. Die Fama vermutete bei jedem Gelegenheitsgespräch, das vielleicht dem drückenden Wetter, den noch bedrückenderen Herzkrankheiten gegolten hatte, die Fama vermutete Verschwörung, Parteiverrat, Ketzerei und Kanzlersturz. Überdies, es wimmelte von Journalisten in der Stadt, und das Bild der Friedlichen konnte am Montag im »Spiegel« stehen und Anlaß zu größtem Unfrieden geben. All dies bedachte Korodin wohl, aber Keetenheuve war ihm (beinahe hätte er »hol's der Teufel« gesagt) nicht unsympathisch, deshalb haßte er ihn auch manchmal mit einem geradezu persönlichen Haß, nicht nur mit der kalten, routinemäßigen Ablehnung der Parteigegnerschaft, denn er hatte (»hol's doch der Teufel«), in auffälliger, nicht zu übersehender, nicht zu unterdrückender Weise das Gefühl, daß hier eine Seele zu retten sei, daß man Keetenheuve noch auf den rechten Weg bringen könne, man durfte ihn am Ende vielleicht sogar bekehren. Korodin, die beiden großen teuren Automobile meist in der Garage, umschwärmte aufrichtigen Herzens eine neue Priestergeneration, die Arbeitergeistlichen des nahen Reviers. Das waren verknurrte Männer in groben Schuhen, von denen sich Korodin einbildete, daß sie Bernanos und Bloy gelesen hätten, während nur er es war, der von diesen Geistern, und das sprach für ihn, beunruhigt wurde, und so empfingen die verknurrten Männer zuweilen einen Scheck von Korodin und fanden im übrigen, daß er

menschlich nicht viel hergab. Für Korodin aber war dieses
Scheckgeschenk Urchristentum, reine Opposition gegen die
bestehende Ordnung, gegen die eigene Schicht und gegen
die teuren Automobile, und tatsächlich hatte er schon
Schwierigkeiten wegen seiner »roten Neigungen«, erhielt
sanfte Vorwürfe, und der Bischof, sein Freund, der, wie Korodin, Bernanos gelesen hatte, aber sich durchaus nicht
beunruhigt, sondern nur befremdet fühlte, der Bischof hätte
den Scheck lieber in einer anderen Opferlade gesehen.

Korodin, der immer alles wußte, immer eine Liste von Ge-
burtstagen im Kopf hatte, sie im Gedächtnis bewahrte,
schon um in seiner weitverzweigten und begütert verschwä-
gerten Familie keinen zu kränken, Korodin wollte Keetenheuve sein Beileid aussprechen, und vielleicht hoffte er
dabei, daß der andere in einem Augenblick der Erschütte-
rung der Bekehrung zugänglicher sein möge, daß der Verlust
sterblichen irdischen Glückes ihm den Sinn auf die Freuden
der Unsterblichkeit gelenkt habe, aber dann, als er dicht vor
Keetenheuve stand, schien Korodin eine Kondolation hier
doch unangebracht, ja taktlos und von verwerflicher Inti-
mität zu sein, denn fragwürdig blieb schließlich einem Menschen wie Keetenheuve gegenüber alles, was in Korodins
Kreisen selbstverständlich war, das Aussprechen des Mitge-
fühls beispielsweise, trauerte Keetenheuve überhaupt, man
wußte es nicht, man sah es nicht, kein Trauerflor bedeckte
den Arm, kein schwarzer Streifen kennzeichnete den Re-
vers, und keine Tränen standen dem Witwer in den Augen,
aber das machte den Mann auch wieder anziehend, vielleicht
trauerte er nicht auf offenem Markt, und so sagte Korodin,
indem er den Blick senkte und auf das Pflaster des Münster-
platzes starrte: »Wir stehen hier auf einem Gräberfeld aus
fränkisch-römischer Zeit.« Doch so war es nun – der Satz,
schon losgelassen, nicht mehr ein bloßer unverbindlicher
Verlegenheitsgedanke, eine Assoziation, die sich aufge-

drängt hatte, der Satz war dümmer als jede Kondolation, und Keetenheuve mochte ihn als Anspielung auf seine Trauer und zugleich als ein banal zynisches Darüberhinwegschreiten auffassen. So sprang Korodin nun aus reiner Verlegenheit von dem Gräberfeld mitten in die Frage, um die er sonst lange herumgeschlichen wäre und die er am Ende vielleicht gar nicht erwähnt hätte, denn schließlich war es eine Aufforderung zum Verrat, wenn auch zum Verrat an einer schlechten Partei. Er fragte: »Können Sie Ihre Haltung nicht ändern?« Keetenheuve verstand Korodin. Er verstand auch, daß Korodin ihm hatte kondolieren wollen, und er war ihm dankbar, daß er es nicht getan hatte. Natürlich konnte er seine Haltung ändern. Er konnte sie wohl ändern. Jeder Mensch konnte jede Haltung ändern, aber mit Elke hatte Keetenheuve den einzigen intimen Kenner seiner alten Haltung verloren, den Zuschauer seiner Unruhe, und so konnte er diese Haltung nicht und nie mehr ändern. Er konnte sie von sich aus nicht ändern, denn diese Haltung war er, war ein Urabscheu in ihm, und er konnte sie erst recht nicht ändern, wenn er an Elkes kurzen von Verbrechen und Krieg verstörten Lebensweg dachte, und Korodin hatte ihm die Antwort schon zugeschoben, mit seinem Gräberfeld aus fränkisch-römischer Zeit.

Keetenheuve sagte: »Ich will kein neues Gräberfeld.«

Er hätte auch sagen können, er wolle kein europäisches oder kleineuropäisches Gräberfeld; doch das hatte ihm zu pathetisch geklungen. Natürlich ließ sich mit dem Gräberfeld, gegen das Gräberfeld argumentieren. Das wußten sie beide. Auch Korodin wollte kein Gräberfeld. Er war kein Militarist. Er war Reserveoffizier. Er wollte jedoch das mögliche Gräberfeld, an das Keetenheuve dachte, wagen, um das Aufschaufeln eines anderen, noch viel größeren und ihm sonst sicher erscheinenden Feldes (in das er selber sinken würde mit Autos, Frau und Kindern), wenn's anging, zu verhindern. Was ließ sich aber verhindern? Die Geschichte war ein tolpatschiges Kind oder ein alter Blindenführer, der allein wußte, wohin der Weg ging, und deshalb rücksichtslos vorantrieb. Sie spazierten dem Hofgarten zu und verweilten vor dem Spielplatz. Zwei kleine Mädchen schaukelten auf der Wippe. Das eine kleine Mädchen war dicklich; das andere kleine Mädchen war mager und hatte hübsche lange Beine. Die Dicke mußte sich vom Boden abstoßen, wenn sie mit der Wippe hochschnellen wollte.

Korodin sah ein Gleichnis. Er sagte: »Denken Sie an die Kinder!« Er fand selbst, daß es salbungsvoll klang. Er ärgerte sich. So würde er Keetenheuve nicht bekehren.

Keetenheuve dachte an die Kinder. Er wäre gern zur Wippe gegangen, um mit dem hübschen Mädchen zu spielen. Keetenheuve war auch ein Ästhet, und der Ästhet war ungerecht. Er war ungerecht gegen das dicke Mädchen. Die Natur war ungerecht. Alles war ungerecht und unergründlich. Jetzt sehnte er sich nach einem bürgerlichen Hausstand, nach einer Frau, die auch Mutter war. Nach einer hübschen Frau natürlich, nach einem reizvollen Kind. *Er hob ein kleines Mädchen auf eine Schaukel, er stand im Garten, die schöne Frau und schöne Mutter rief zum Mittagessen, Keetenheuve Hausvater, Keetenheuve Kinderfreund, Keetenheuve Heckenschneider.* Es waren unverbrauchte, verdorbene zärtliche Gefühle in ihm. Er sagte: »Ich denke an die Kinder!«

Und er sah ein Bild, das ihm immer wieder vor Augen kam, an das er sich immer wieder erinnerte als an einen Augenblick unheimlicher prophetischer Schau. Keetenheuve hatte, als er freiwillig das Vaterland verließ, von niemand gedrängt als von einem Gefühl tiefer Ablehnung des Gegenwärtigen und des Kommenden, Keetenheuve hatte, als er nach Paris reiste, in Frankfurt übernachtet, und am Morgen hatte er vor dem Schauspielhaus in Frankfurt, von der Ter-

rasse eines Cafés aus, wo er knusprige Hörnchen aß und Hi-
malajablütentee trank, einen Aufmarsch der Hitlerjugend
beobachtet, und da hatte sich vor seinen Augen der Platz
aufgetan, der weite bunte Platz, und alle, alle waren sie mit
Fahnen, mit Wimpeln, mit Flöten, Trommeln und Dolchen
in ein breites tiefes Grab marschiert. Es waren Vierzehnjäh-
rige, die ihrem Führer folgten, und neunzehnhundertneun-
unddreißig waren sie zwanzigjährig, waren sie die Sturm-
truppe, die Flieger, die Matrosen – sie waren die
Generation, die starb. Korodin blickte zum Himmel auf. Die
Wolken schwärzten sich. Er ahnte ein Gewitter. An der
Stelle, wo sie standen, war ein Kind vom Blitz erschlagen
worden, und Korodin fürchtete nun doch wieder den Zorn
des Himmels. Er winkte ein zufällig des Weges kommendes
Taxi herbei. Er haßte Keetenheuve. Er war eben doch ein
Verlorener, ein Mann ohne Verantwortung, ein Vagabund,
der keine Kinder hatte. Am liebsten hätte Korodin Keeten-
heuve in der Allee stehenlassen. Mochte der Blitz ihn erschlagen! Und vielleicht gefährdete Korodin sich und das
Taxi, indem er den Verworfenen zur Mitreise einlud. Aber
dann siegte doch Korodins gute Erziehung über Angst und
Abwendung, und mit gefrorenem Lächeln ließ er Keetenheuve in den Wagen klettern.
Sie saßen stumm nebeneinander. Es tropfte und blitzte, und
Regenschleier legten sich wie Nebel über die Häupter der
Bäume, aber der Donner grollte kraftlos und matt, als wenn
das Gewitter schon müde oder noch fern wäre. Es roch intensiv nach Feuchtigkeit, Erde und Blüten, dabei wurde es
immer wärmer, man schwitzte, das Hemd klebte am Leib,
und wieder hatte Keetenheuve die Vorstellung, sich in einem großen Treibhaus zu befinden. Sie fuhren an der Rück-
seite des Präsidentensitzes, an der Front der Kanzlervilla
vorbei, schmiedeeiserne Tore standen offen. Posten bewachten die freie Einfahrt, man sah Beete, weite grüne

Flächen, Rabatten, Blumen leuchteten, ein Dackel und ein Wolfshund gingen, ein größenungleiches Paar, wie in Gespräche vertieft, langsam über Kieswege. Eine botanische Landschaft, ein botanischer Garten, Prinzessinnen hatten hier gewohnt und Zuckerfabrikanten, Hochstapler waren bei ihnen zu Gast gewesen, sie hatten das Vermögen nicht kleingekriegt. Ein paar Bomben waren auch gefallen. Da ragten geschwärzte Mauerstümpfe aus dem dichten Grün. Die Bundesfahne wehte. Ein Herr ging, einen kleinen Damenknirpsschirm trotz des Regens geschlossen an einer Schlaufe am Handgelenk, langsam ins Amt. Ein ehemaliger, ein zukünftiger, ein wiederverwendeter Gesandter? Statisten der politischen Bühne wanderten durch die Alleen, und mit ihnen wanderten ihre Biographien, ihre gedruckte Wahrheit, eine Dirne in vielen Gassen. Man sah die Statisten. Wo weidete der Regisseur? Wo fraß der Protagonist sein Gras? Es hatte ja nie Regisseure und Protagonisten gegeben. Das Taxi begegnete lauter Verhütern, die Schlimmeres verhütet hatten. Es regnete gerade; sonst hätten sie sich in ihrem Ruhm gesonnt.

Sie hielten vor dem Bundeshaus. Korodin zahlte den Wagen. Er wehrte ab, daß Keetenheuve an den Kosten der kleinen Fahrt partizipiere, aber er ließ sich vom Fahrer eine Quittung geben, Korodin wollte dem Staat nichts schenken. Er verabschiedete sich hastig mit erfrorenem Lächeln, ängstlich, es blitzte wieder, von Keetenheuve. Er eilte fort, als habe das Gesetz ihn und gerade ihn gerufen und berufen. Keetenheuve wollte in die Pressebaracken schauen, aber Mergentheim würde noch nicht auf sein, er hatte seine anstrengende Sophie zu Haus und war nicht matinal. Keetenheuve zögerte, in sein Büro zu gehen. Da sah er, daß sich auswärtige Besucher, in Autobussen herangeschleppt, Besichtigung der Bundeshauptstadt, Besichtigung des Bundesparlaments, das Mittagessen im Bundeshausrestaurant, zu einer Führung versammelt hatten, und wie ein alter Berliner wohl mal auf den Einfall kam, an Käses Rundfahrt teilzunehmen, schloß sich Keetenheuve der gerade aufbrechenden Schar an. Wie merkwürdig! Der Hausbeamte in dunkler Dienstkleidung, der die Neugierigen führte, sah genau wie der Kanzler aus. Er hatte ein etwas verkniffenes Gesicht, trocken, listig, mit Falten der Humorigkeit, er sah wie ein kluger Fuchs aus, und er sprach mit dem Dialektanklang des bedeutenden Staatsmannes. (In monarchistischer Zeit trugen die treuen Diener die Barttracht der Könige und Kaiser.) Sie gingen die Treppe zum Plenarsaal hinauf, und ihr Führer, dessen Ähnlichkeit mit dem Kanzler wohl nur Keetenheuve aufgefallen war, denn niemand beachtete ihn sonderlich, der Führer erklärte nun, daß der Bau, den sie begingen, eine pädagogische Akademie gewesen sei, und leider ließ er sich's entgehen, nun, deutsch gebildet weltanschaulich, goethisch zu werden und auf die pädagogische Provinz hinzuweisen, die von hier sich ausbreiten konnte. Wußte der Kanzler-Kanzlist, daß es seinem Parlament an Philosophen mangelte, von hier aus geistig pädagogisch zu ackern?

Zum erstenmal stand Keetenheuve auf der Galerie des Plenarsaals und sah die ungepolsterten, die dem Volk und der Presse vorbehaltenen Sitze. Unten war alles Gestühl schön grün aufgeplustert, selbst die Kommunisten durften sich der grünen Bequemlichkeit des Polsters erfreuen. Der Saal war leer. Ein leeres großes Klassenzimmer mit aufgeräumten Schülerpulten. Der Katheder des Herrn Lehrers war erhöht, wie es sich gehörte. Der Kanzler-Kanzlist erwähnte das Bemerkenswerte. Er sagte, der Saal habe tausend Meter Neonröhren. Schwerhörige Abgeordnete, sagte der Kanzler-Führer, könnten sich einer Kopfhöreranlage bedienen. Ein Witzkopf wollte wissen, ob man den Kopfhörer auf Musik schalten konnte. Der Kanzler-Cicerone überhörte den Zwischenruf mit überlegener Ruhe. Er deutete auf die Abstimmungstüren des Hauses und erwähnte die Gepflogenheit des Hammelsprunges. Keetenheuve hätte hier mit einer Anekdote zur Unterhaltung der Gäste beitragen können, mit einer reizenden kleinen Anekdote aus dem Leben eines Parlamentariers. Keetenheuve, der Hammel, war einmal falsch gesprungen. Das heißt, er wußte nicht, ob er falsch gesprungen war, ihm waren auf einmal Zweifel gekommen, und er war durch die Ja-Tür gehüpft, während seine Fraktion sich zum Nein entschlossen hatte. Die Koalition hatte ihm applaudiert. Sie irrte sich. Korodin hatte den ersten Erfolg seines Bekehrungswahns gesehen. Er irrte sich. Im Fraktionszimmer hatte man Keetenheuve erregt gerügt. Auch dort irrten sie sich. Keetenheuve hatte die Frage, über die abgestimmt wurde, ziemlich belanglos gefunden und nach der Intuition des Augenblicks gehandelt, ein Jasager und kein Neinsager, der einer unwichtigen Regierungsvorlage zustimmte. Warum sollte die Regierung nicht in manchen Fragen recht haben? Es schien ihm töricht, das zu verneinen und eine Opposition der Starrköpfigkeit zu treiben oder der politischen Grundsatztreue, was genau dasselbe war. Keetenheuve sah Schulbuben unten sitzen, Bauernbuben, Quadratschädel, zänkisch und gottergeben, zänkisch und aufmuckend, zänkisch und trägen Verstandes, und unter ihnen ein paar Streber. »Quasselbude«, sagte ein Besucher. Keetenheuve sah ihn an. Der Besucher war der üble Typ des Bierbanknationalisten, der sich mit Wollust von einem Diktator knechten ließ, wenn er nur selbst ein Paar Stiefel bekam, um nach unten zu treten. Keetenheuve sah ihn an. In die Fresse, dachte er. »Na, meinen Sie etwa nicht?« sagte der Mann und blickte Keetenheuve herausfordernd an. Keetenheuve hätte erwidern können: Ich weiß nichts Besseres, selbst dieses Parlament ist das kleinere Übel. Er sagte aber: »Halten Sie hier Ihr verfluchtes Maul!« Das Gesicht des Mannes lief rot an, dann wurde er unsicher und kuschte feige. Er drückte sich von Keetenheuve weg. Wenn er den Abgeordneten Keetenheuve erkannt hätte, würde er denken: Ich merk' Sie mir, Sie stehen auf der Liste, am Tage X, im Sumpf und auf der Heide. Aber niemand kannte Keetenheuve, und der Kanzler-Kanzlist führte seine Schar wieder ins Freie.

Die Journalisten arbeiteten in zwei Baracken. Die Baracken lagen lang hingestreckt und einstöckig, dem Bundeshaus gegenüber; sie sahen von außen wie Militärbauten aus, wie eine für Kriegsdauer (und Kriege dauern lange) errichtete Unterkunft der Stäbe und der Verwaltung eines neuen Truppenübungsplatzes. Innen aber war in jedem Stockwerk ein Mittelgang, der an den Korridor eines Schiffes erinnerte, nicht gerade an das Luxusdeck, aber doch an die Touristenklasse, wo links und rechts des Ganges Kabine an Kabine geschichtet wurde, und das Geklapper der Schreibmaschinen, das Ticken der Fernschreiber, das unaufhörliche Schrillen der Telephone gab die Vorstellung, daß hinter den Zimmern der Redaktionen die erregte See war mit Möwengekreisch und Dampfersirenen, und so waren die Pressebaracken zwei Kähne, die, von den Wogen der Zeit getragen, geschaukelt und erschüttert wurden. Wie Flut und Ebbe liefen über einen Tannenholztisch am Eingang die »Mitteilungen an die Presse«, blasse und verwischte Informationen auf billigem Papier, die dort achtlos hingeworfen wurden von den gemächlichen Boten der vielen Regierungsstellen, die sich mit den Anpreisungen des Tuns der Ämter, mit der Unterrichtung der Öffentlichkeit, mit der Bundespropaganda, der Verhüllung, Vernebelung und Verschweigung von Ereignissen, der Beschwichtigung, den Dementis von Lügen und Wahrheiten beschäftigten und zuweilen gar ins Horn der Entrüstung bliesen. Das Auswärtige Amt gibt bekannt, das Bundesministerium für den Marshallplan gibt bekannt, das Bundesministerium für Finanzen, das Statistische Bundesamt, Post- und Bundesbahn, die Besatzungsämter, der Polizeiminister, die Justiz, sie alle gaben viel oder wenig bekannt, waren redselig oder schweigsam, zeigten die Zähne oder ein ernstes besorgtes Gesicht, und einige hatten auch ein Lächeln für die Öffentlichkeit, das aufmunternde Lächeln einer zugänglichen Schönen. Das Bundespresseamt gab bekannt, daß an der Behauptung einer Oppositionspartei, eine Regierungspartei habe den französischen Geheimdienst um Wahlhilfe gebeten, kein wahres Wort sei. Hier war man nun ernstlich böse, man drohte, den Staatsanwalt zu bemühen, denn der Wahlfonds, die Parteigelder waren tabu, ein immer heikles Kapitel; man brauchte Geld wie jedermann, und wo sollte es herkommen, wenn nicht von reichen Freunden. Korodin hatte reiche Freunde, aber wie das bei Wohlhabenden Sitte ist, sie waren geizig (Korodin verstand es) und wollten für ihr Geld etwas haben.

Das Presseschiff schunkelte an diesem Morgen bei leichter Brise dahin. Keetenheuve spürte, daß nichts Besonderes los war. Die Planken zitterten nicht, keine Tür wurde aufgerissen und dröhnend zugeschlagen; doch gibt es Stürme, die plötzlich und unvermutet, von keiner Wetterwarnung gemeldet, hereinbrechen. Keetenheuve klopfte bei Mergentheim an. Mergentheim vertrat in der Hauptstadt ein Blatt, das sich mit Recht zu den »angesehenen« des Bundes zählte (doch was war mit den andern? wurden sie nicht angesehen, oder waren sie nicht angesehen? arme Mauerblümchen öffentlicher Volkstänze!), und an großen Tagen sprach er im Rundfunk gefällige eingängige Betrachtungen, die keineswegs unkritisch waren und selbst schon unwirsche Beschwerden der mimosenhaft empfindlichen und zigeunerhaft eifersüchtigen Parteien herausgefordert hatten. Keetenheuve und Mergentheim – waren sie Freunde, Feinde? Sie hätten die Antwort nicht gewußt; Freunde waren sie wohl kaum, und keiner hätte vom andern mit dem Stolz des

Schuljungen gesprochen: mein Freund Mergentheim, mein liebster Freund Keetenheuve. Aber zuweilen zog es sie wohl zueinander, denn sie waren Anfänger und Kollegen zu einer Zeit gewesen, als alles noch hätte anders kommen können, und wenn die Geschichte anders gelaufen wäre (gewiß war dies unvorstellbar), ohne den österreichischen Irren, ohne die monströse Erhebung, ohne Frevel, Hybris, Krieg, Tod und Zerstörung, vielleicht hätten Keetenheuve und Mergentheim noch Jahre zusammen im selben dunklen Hofzimmer des alten »Volksblattes« gesessen (Keetenheuve hätte es gewünscht, doch Mergentheim wohl kaum) und hätten wirklich, sie waren jung, das Gefühl gleichen Strebens, ähnlicher Ansichten und der Freundschaft gehabt. Aber dreiunddreißig trennte sich's wie in Scheidewasser. Keetenheuve, gutmütiger Trottel geschimpft, wanderte ins Exil, und Mergentheim begab sich erfolgreich auf den Pfad der Bewährung, der ihn Chefredakteur, man sagte Hauptschriftleiter, des gewandelten Blattes werden ließ. Später allerdings mußte das »Volksblatt« trotz gehorsamer Angleichung, mit der es die Leser verlor, sein Erscheinen einstellen, oder es war von der Arbeitsfront geschluckt worden, man wußte es nicht so genau, und lebte noch eine Zeitlang als Untertitel fort mit einem Parteigenossen als Chef, und Mergentheim setzte sich als Korrespondent nach Rom ab. Gerade rechtzeitig! Der Krieg kam, und in Rom war es angenehm. Später in der oberitalienischen Mussolini-Republik schien's auch für Mergentheim kritisch zu werden, Kugeln der SS oder Kugeln der Partisanen drohten, und nah war die Gefangenschaft, aber wieder konnte Mergentheim sich noch rechtzeitig absetzen, und so war er mit leidlich weißer Weste ein gesuchter und geförderter Mann des Wiederaufbaus geworden. Keetenheuve freute sich jeweils, Mergentheim im Büro zu sehen, denn solange Mergentheim hinter seinem Tisch saß, solange er sich nicht aufs neue absetzte, etwa Korrespondent in Washington wurde, schien Keetenheuve der Staat sicher und der Feind fern zu sein. Mergentheim hatte Keetenheuve gänzlich aus seinem Gedächtnis verloren, und als er ihn als Abgeordneten in Bonn bemerkte, einen Wilderer in seinem Revier, war er ehrlich erstaunt. »Ich dachte, du seist tot«, stammelte er, als Keetenheuve ihn zum erstenmal aufsuchte, und er glaubte sich ertappt und meinte, zur Rechenschaft gezogen zu werden. Zur Rechenschaft wofür übrigens? Konnte er etwas dafür, daß alles so gekommen war? Er war der Mann volkstümlich erklärender Betrachtungen, nicht unkritisch, wenn es nicht direkt den Kopf oder die Stelle kostete, und schließlich hatte er den Beruf des Zeitungsmannes und nicht den des Märtyrers gewählt. Doch bald fing sich Mergentheim wieder. Er sah, daß Keetenheuve freundlich freundschaftlich gekommen war, aus sentimentalen Motiven der Erinnerung und keineswegs vorwurfsvoll. So wunderte sich Mergentheim am Ende nur, daß auch Keetenheuve von der Woge der Zeit emporgetragen war, und mehr noch, daß er es verstanden hatte, sich hochtragen zu lassen und das Glück (so faßte Mergentheim es auf) beim Schopf zu packen. Doch als er im Laufe der ersten Unterhaltung merkte, daß Keetenheuve nicht, wie Mergentheim vermutet hatte, mit einem britischen oder panamanesischen Paß heimgekehrt war und daß er gar zu Fuß zu ihm, dem alten Kollegen, gewandert war, da verwandelte sich Mergentheim aus einem Furchtsamen in einen Gönner, packte Keetenheuve in seinen verchromten Dienstwagen und fuhr ihn in sein Heim, zu Sophie. Sophie, lockend, duftend, im Hauskleid eines Düsseldorfer Diors und durch das Telephon anscheinend vom Kommen des Gastes unterrichtet (wie hatte Mergentheim das wieder geschafft?), begrüßte Keetenheuve mit einem vertraulichen »Wir kennen uns ja« und einem Augenaufschlag, der den Gedanken weckte, er habe mit ihr geschlafen. Das war unwahrscheinlich. Aber dann entpuppte sich's, daß Sophie einmal Bürolehrling im Vertrieb des »Volksblattes« gewesen war, und wenn Keetenheuve sich auch nicht an sie erinnern konnte, Mergentheim mußte sie später entdeckt haben, wenn nicht sie ihn aufgespürt hatte, und der Aufstieg zur Frau Hauptschriftleiter hatte ihrem gesellschaftlichen Ehrgeiz Appetit gemacht; sie war die Muse, die Mergentheim auf der Bahn des Erfolges, der Karriere und der rechtzeitigen Anpassung beriet, vorantrieb und stützte. Nein, Keetenheuve hatte nicht mit ihr geschlafen, vielleicht hätte er es tun können, Sophie gab sich bedeutenden und einflußreichen Leuten ohne Wollust hin, die Wollust empfand sie erst, wenn über die Kopulation geredet wurde, Jünglinge und bloße schöne Männer verschmähte sie, und wenn Keetenheuve auch nicht der Konzertmeister in seiner Partei war, so spielte doch auch er dort die erste Geige und wäre ihres Bettes wert gewesen. Aber nie war es zu Umarmung, Kuß und Beischlaf gekommen; Keetenheuve reagierte lustlos, und da er am gesellschaftlichen Leben der Bundeskreise konsequent nicht teilnahm, war er für Sophie auch kein lockendes Wild, sondern bald nur ein Trottel. Das Epitheton gutmütig fehlte diesmal, ornierte nicht, und auch Mergentheim fügte es der Kennzeichnung des alten Freundes nicht hinzu, denn da Keetenheuve es zum Abgeordneten gebracht hatte, mochte er wohl ein Trottel sein, aber daß er gutmütig sei, war nun unwahrscheinlich und nicht länger erwähnenswert.

Zu einer Verstimmung, die aus der lockeren Freundschaft beinahe Feindschaft gemacht hätte, kam es aber, als Mergentheim im Handbuch des Bundestages entdeckt hatte, daß Keetenheuve verheiratet sei. Da prickelte die Neugier Sophie. Wer war die Frau, die Keetenheuve nicht zeigte? War sie so schön, war sie so häßlich, daß er sie verbarg? War sie eine reiche Erbin, und fürchtete er, sie könne ihm geraubt werden? Darauf kam's wohl hinaus, und Sophie verkuppelte im Geiste Elke schon an junge Gesandtschaftssekretäre, nicht um Keetenheuve zu schaden, sondern um die natürliche Ordnung wiederherzustellen, denn Keetenheuve verdiente keine schöne junge Erbin. Schließlich begegneten die Frauen einander und fanden sich dann garstig. Elke benahm sich ungezogen, maulte, wollte nicht auf die Redoute gehen (was Keetenheuve entzückte, er wollte auch nicht gehen, konnte auch nicht gehen, denn er besaß keinen Frack), aber schließlich setzte Sophie doch ihren Willen durch, und Elke fuhr mit Mergentheim zum Ball, nachdem sie Keetenheuve noch zugeflüstert hatte, Sophie trage ein Korsett (was Keetenheuve genierte). Auf dem Fest war es dann furchtbar geworden. Beide Frauen dachten aus nicht zu ergründender Abneigung voneinander: blöde Nazistin (so können sich Frauen täuschen), und Elke hielt sich nicht an die Gesandtschaftssekretäre, sondern an den Gesandtschaftsgin, der zollfrei eingeführt und vorzüglich war, und als ihr der Alkohol den Kopf verwirrt hatte, verkündete sie der überraschten Gesellschaft, die sie als eine Versammlung von Gespenstern bezeichnete, daß Keetenheuve die Regierung stürzen werde. Sie nannte Keetenheuve den Mann der Revolution, der die sich ausbreitende und festigende Restauration verachte; so viel hielt Elke von ihrem Gatten, und wie sehr mußte sie sich allmählich von ihm enttäuscht fühlen. Aber als das Erstaunen über ihre Verkündigung sich gelegt hatte und Elke nun doch von einem Attaché, den sie, statt ihn zu umarmen, beschimpfte, im Wagen heimgebracht wurde, nützte der dumme Vorfall komischerweise dem Ansehen des Abgeordneten, denn Elke hatte nicht verraten (sie hätte es auch nicht zu sagen gewußt), welche Art von Regierungssturz Keetenheuve vorbereite, von welcher Seite, mit welcher Hilfe, mit welchen Waffen und zu welchem Ziel er die Regierung beseitigen wolle, und so betrachteten nach diesem Abend viele Keetenheuve mißtrauisch und werbend als einen Politiker, mit dem man vielleicht rechnen mußte. Mergentheim saß wie ein aufgeplusterter melancholischer Vogel hinter seinem Schreibtisch, sein Gesicht wurde immer breiter, die Augen ständig verschleiert, die Gläser dicker, die Hornfassung der Brille schwärzer und schwerer, so verstärkte sich der Eindruck, einer Eule, einem Uhu gegenüberzutreten, einem Gebüsch- und Ruinenvogel, der teure Maßanzüge trug, und vielleicht war er recht zufrieden, lustig und vergnügt, krächzte nur ein wenig vor aufgeplusterter Geschäftigkeit, war nur etwas erschöpft von den Nachtflügen der antreibenden Gefährtin, und die Annahme, die der Ornis angehörende Wesenheit sei melancholisch, war vielleicht ein Irrtum in der von Fehldeutungen ausgehenden Vorstellung des Besuchers. Mergentheim schickte seine Sekretärin weg, etwas zu besorgen. Er bot Keetenheuve Zigarren an. Er wußte, Keetenheuve rauchte nicht, aber Mergentheim tat, als habe er es vergessen. Keetenheuve sollte sich nur nicht zu wichtig nehmen. Mergentheim wickelte eine schwarze Tabakrolle aus knisterndem Stanniol und zündete sie an. Er betrachtete Keetenheuve durch blauen Dunst. Mergentheim wußte, daß Elke gestorben war, man munkelte, unter mysteriösen Umständen, Klatsch reiste schnell, aber gleich Korodin fand auch Mergentheim kein Wort des Beileids für Keetenheuve, auch er fühlte, daß die Erwähnung familiären Unglücks, persönlichen Leides Keetenheuve gegenüber unangebracht sei, taktlos und aufdringlich; Mergentheim hätte nicht sagen können, warum – Keetenheuve war nun mal so. Mergentheim fühlte diesmal recht! Keetenheuve war kein Familienmensch, er konnte lieben, er war sinnlich, aber er hatte so wenig Zweisames mitbekommen, daß er nicht mal zum Ehemann getaugt hatte. Keetenheuve war ein Mensch ohne Kontakte, der sich zuweilen nach Kontakten sehnte, und das führte ihn in seine Partei, in Schwierigkeiten und Verwirrungen. Die Ehe, nicht die

Liebe, war für Keetenheuve eine perverse Lebensform gewesen, und vielleicht war er doch ein in die Irre gelaufener Mönch, ein in den Käfig geratener Landstreicher, am Ende gar ein Märtyrer, der das Kreuz verfehlt hatte. Mergentheim dachte: Armer Kerl. Elkes Tod war Keetenheuve bestimmt nahegegangen, und Mergentheim erklärte es sich so (und nicht ganz falsch), Keetenheuve war entwurzelt aus dem Exil zurückgekehrt, und Elke war sein verzweifelter Versuch gewesen, hier wieder Wurzeln zu schlagen, hier Liebe zu gewinnen und zu lieben. Der Versuch war gescheitert. Was würde der Mann nun tun? Ein unvermutetes Glück (so faßte es Mergentheim unentwegt auf) hatte Keetenheuve nach oben getragen, in den Bereich der großen politischen Entscheidungen, und durch verschiedene Umstände, die Keetenheuve nicht absichtlich herbeigeführt oder angestrebt hatte, war er in eine Schlüsselposition geraten, in der er zwar nicht durchsetzte, was er vielleicht wollte (und was wollte er?), in der er aber ein Stein im Weg sein konnte. Das war gefährlich! Vielleicht wußte Keetenheuve wirklich nicht, wie gefährlich seine Stellung war. Vielleicht war er doch ein Tor, ein gutmütiger Trottel geblieben. Dann war er, zumindest unter Parlamentariern, ein Unikum, und Mergentheim betrachtete ihn mit neuem Wohlwollen.

»Sieh dich vor«, sagte Mergentheim.

»Warum?« Es interessierte Keetenheuve eigentlich nicht. Warum sollte er sich vorsehen? Was wollte Mergentheim? Was wollte er hier, er Keetenheuve, was wollte er hier? Das Zimmer im alten »Volksblatt« war heimischer gewesen. Es war in Trümmer gefallen. *Vergiß es!* Was wollte Keetenheuve in dieser Baracke, wo es an allen Wänden mit hysterischer Betriebsamkeit pochte? Keetenheuve war es allmählich gleichgültig geworden, ob es regnete oder schön Wetter war. Er hatte seinen Trenchcoat.

»Du könntest schlachtreif sein«, sagte Mergentheim.

Das war wahr! Er war schlachtreif. Er fühlte es selbst. Er war der Wollust des Fressens verfallen. Vielleicht wollte er all die Armensuppen einholen, die er gegessen hatte. Sie waren nicht einzuholen. Aber er war dick geworden. Träg schlief das Fett unter der Haut. Mergentheim war viel dicker. Aber dem stand's; ihm nicht. Nun gut, er würde kämpfen.

Er fragte: »Was weißt du?«

»Nichts«, sagte Mergentheim. »Ich denk' mir nur was.«

Der Uhu machte ein schlaues Gesicht. Er hüllte sich in Rauch. Die dicken Brillengläser beschlugen vor den verschleierten Augen. So sahen die Eulen auf den alten Bildern der Hexen aus. Eigentlich sahen sie dumm aus.

»Spiel nicht die Pythia. Was ist los?« Ach, er war gar nicht neugierig. Er trieb heut so hin. *Schlecht*

Mergentheim lachte: »Wer einen Hund hängen will . . .« *Ein Hund hat gebellt in Insterburg*

»Ich hab' aber keinen Haken«, sagte Keetenheuve; »für die nicht!«

»Herr Major . . .«

»Sei nicht blöd. Das ist eine zu dumme Lüge.«

»Die Wahrheit ist oft nur eine Frage der Aufmachung«, sagte Mergentheim.

Also das war es! So wollten sie ihn stumm machen. Es war ein alter stinkender Hut, unter dem er verschwinden sollte. Schon bald nach seiner Rückkehr hatte sich um Keetenheuve das Gerücht verbreitet, er habe während des Krieges in England die Uniform eines britischen Majors getragen; und natürlich fanden sich Leute (wann finden die sich nicht?), die ihn in fremdem Tuch gesehen haben wollten. Es war vollkommener Unsinn, so leicht zu widerlegen, daß Keetenheuve keine Lust hatte, sich zu verteidigen, und für jeden, der Keetenheuve kannte, war es ein lächerlicher Gedanke, ihn als Major wandeln zu sehen, wenn auch als britischen, das Paradestöckchen unterm Arm, es war absurd, denn Keetenheuves echte Schwäche war es (und stur war er in diesem Punkt), daß er ehrlich stolz darauf war, nie eine Uniform getragen zu haben, wenn er auch in abstrakter Überlegung meinte (und mit einem Schluß, der für ihn praktisch überhaupt nicht in Frage gekommen war), daß im Fall Hitler die britische Uniform der deutschen vorzuziehen war – aus ethischen Gründen, die Keetenheuve weit über die nationalen stellte, die er für atavistisch hielt. Kein Toter nützt seinem Vaterland, und die Menschen fallen bestenfalls für Ideen, die sie nicht begreifen und deren Konsequenz sie nicht übersehen. Die geschundenen Krieger auf den Schlachtfeldern, die geplagten Völker waren die Opfer zänkischer, überaus eigensinniger, rechthaberischer und gänzlich unfähiger Denker, die in ihrem verdrehten armen Kopf keine Klarheit schaffen konnten und die sich außerdem gegenseitig nicht verstanden und nicht ausstanden. Vielleicht waren die Heere aber auch verworrene Schöpfungsgedanken Gottes, die gegeneinander losgingen.

Wohl dem, der da nicht mitmachte! Noch wohler dem, der Halt gebot!

Keetenheuve machte eine müde Bewegung der Abwehr. »Das ist doch Quatsch, warum erzählst du mir das?«

»Ich weiß nicht«, sagte Mergentheim, »nenn es Quatsch, natürlich warst du nicht Royal Officer, meinst du, ich glaub' das, aber die Behauptung prägt sich gut ein und gibt der Menge ein anschauliches Bild von dir. Keetenheuve Abgeordneter und britischer Major. Da stimmt doch was nicht, nicht wahr? Da ist was faul. Wir wissen, es ist eine Lüge, eine gänzlich aus der Luft gegriffene Geschichte. Aber erst steht sie mal in der Zeitung. Wenn du Glück hast, vergißt man sie. Aber dann setzt man die Mär wieder in die Zeitung. Von politischer Verleumdung verstand Hitler wirklich etwas, und was lehrt er in seinem Fachbuch? Die ständige, ermüdende Wiederholung der Verleumdung. Einer heißt Bernhard.

Man nennt ihn Itzig. Immer wieder. Immer wieder. Das ist das Rezept.«

»Soweit sind wir noch nicht.«

»Du hast recht. Soweit sind wir noch nicht. Aber vielleicht hat jemand, vielleicht hat Freund Frost-Forestier eine Photographie von dir gefunden. Du erinnerst dich nicht. Aber vielleicht stehst du auf dieser Photographie hinter dem Mikrophon des BBC, man sieht die Buchstaben, und wenn man sie nicht sieht, man kann da nachhelfen, und jeder sieht sie dann und jeder kennt sie. Ahnst du was? Und vielleicht hat jemand, vielleicht wieder Frost-Forestier, ein altes Tonband aufgetrieben, vielleicht noch aus Abwehrkisten, aus Gestapobeständen, und man kann dich heute wieder hören, wie du zu deinen Wählern sprachst, als sie im Keller saßen...«

Hier ist England. Hier ist England. Die langen Korridore des Sendehauses. Die verdunkelten Fenster. Die blaubeschmierten Lampen. Der Geruch nach Karbol und nach verschimmeltem Tee. Er ging nicht in den Keller, wenn Alarm war. Die verdunkelten Scheiben zitterten. die blauverschmierten Glühbirnen zitterten und zuckten. Das Herz! Das Herz! Er kam aus den Wäldern...

Er kam aus den Wäldern Kanadas. Er hatte als Internierter beim Holzfällen geholfen.

Körperlich war es keine schlechte Zeit gewesen: die einfache kräftige Nahrung, die kalte ozonreiche Luft, Handarbeit, Schlaf in Zelten...

Aber für Keetenheuve kein Schlaf! Was tu' ich hier? Was will ich hier? Nur nicht mitmachen? Nur nicht dabeisein? Nur abseits bleiben? Die Unschuld päppeln, die gepflegte, die täuschende Unschuld? Ist das genug? Schnee fiel auf die Zelte im Winter, fiel lautlos durch den hohen Wald, schüttete ein ruhmloses stilles Grab aus sanftem fremdem Schnee, denn hatte er es nicht so weit kommen lassen, war es nicht seine Schuld, hatte er sich nicht immer schon abseits gehalten, mi-

mosenhaft verzärtelt, im Elfenbeinturm, vornehm, hungernd,
obdachlos, elend, von Land zu Land gewiesen, aber immer
abseits, immer erduldend, nie kämpfend, war er nicht die
Wurzel aller Greuel, die nun wie blutig eitrige Geschwüre in
der Welt aufbrachen...

Nach Monaten trennte man im kanadischen Waldlager die
schwarzen von den weißen Schafen, und Keetenheuve reiste
auf Bürgschaft und Anforderung eines Quäkers nach London zurück.

Er sprach in England. Er kämpfte hinter dem Mikrophon,
und er kämpfte nicht zuletzt für Deutschland, wie er meinte,
für Tyrannensturz und Frieden; es war ein guter Kampf, und
nicht er mußte sich schämen. Ein Ende dem Wahnsinn, hieß
die Losung, und ein früheres Ende wäre von größtem Nutzen für die Welt gewesen und von allergrößtem für Deutschland. Keetenheuve fühlte sich einig mit allen Widerständischen, einig selbst mit den Militärs unter ihnen, mit den
Männern des zwanzigsten Juli. Er sagte es Mergentheim.
Doch der erwiderte: »Ich bin nicht Missionar. Ich bin Journalist. Hier schau dir das Jahrbuch des Hohen Hauses an!
Den Widerstand haben deine Kollegen schon wieder aus ihrem Lebenslauf gestrichen. Ich habe die neueste Auflage.
Du scheinst noch bei der alten zu stehen. Und die ist schon
eingestampft! Begreif es doch! Sei du friedlich! Viele meinen, daß man mit deinem Chef verhandeln könne, aber mit
dir kann man nicht reden. Knurrewahn war Unteroffizier.
Du verwirrst ihn. Sie nennen dich schon seinen bösen Geist.
Du machst ihn schwanken.« Keetenheuve sagte: »Das wäre
schon etwas. Dann hätte ich etwas erreicht. Wenn Knurrewahn zweifelt, wird er anfangen zu denken. Und das Denken
wird ihn noch stärker an seiner Politik zweifeln lassen.«
Mergentheim unterbrach ihn ungeduldig. »Du bist verrückt«, rief er. »Dir ist nicht zu helfen. Aber das will ich dir
noch sagen: Du verlierst. Du verlierst mehr, als du ahnst.

Denn diesmal kannst du auch nicht mehr emigrieren. Wohin denn? Deine alten Freunde denken heute wie wir, und alle Erdteile, ich sage dir, alle Erdteile sind durch Vorhänge des Mißtrauens geschlossen. Du bist vielleicht nur eine Mücke. Aber die Elefanten und die Tiger fürchten sich vor dir. Und deshalb hüte dich vor ihnen.«

Der Schiffsgang zwischen den Pressezimmern schwankte nicht sonderlicher als je unter seinen sich entfernenden Schritten. Er hatte kein Gefühl von Untergang oder persönlicher Gefährdung. Was Mergentheim gesagt hatte, beunruhigte Keetenheuve nicht. Es stimmte ihn nur trauriger, der schon traurig war; aber es erschütterte nicht, bestätigt zu hören, was man lange schon weiß und fürchtet, hier die nationale Restauration, den restaurativen Nationalismus, auf den alles hinauslief. Die Grenzen öffneten sich nicht. Sie schlossen sich wieder.

Und wieder saß man in dem Käfig, in den man hineingeboren war, dem Käfig des Vaterlandes, der zwischen anderen Käfigen mit anderen Vaterländern diesmal an einer Stange hing, die von einem der großen Käfig- und Menschensammler weiter in die Geschichte getragen wurde. Natürlich liebte Keetenheuve sein Land, er liebte es so gut wie jeder, der's laut beteuerte, vielleicht sogar mehr noch, da er lange weg gewesen, sich zurückgesehnt und mit dem Sehnen das Land aus der Ferne idealisiert hatte. *Keetenheuve Romantiker.* Aber er wollte nicht in einem Käfig sitzen, dessen Tür von Bereitschaftspolizei bewacht wurde, die einen nur mit einem Paß hinausließ, um den man den Käfigobersten bitten mußte, und dann ging's weiter, man stand zwischen den Käfigen, dort, wo kein Hausen war, man rieb sich in diesem Stand an allen Gittern, und um in einen anderen Käfig hineinzukommen, brauchte man wieder das Visum, die Aufenthaltsbewilligung von diesem Käfigherrscher. Die Erlaubnis wurde ungern gegeben. In allen Käfigen zeigte man sich über den Rückgang der Bevölkerung besorgt, aber Freude herrschte nur über den Zugang, der aus dem Schoß der Käfigbewohnerinnen kam, und das war ein furchtbares Bild der Unfreiheit auf der weiten Erde. Hinzu kam, daß man diesmal an der Stange des großen Käfigträgers baumelte. Wer wußte, wohin er ging? Und gab es eine Wahl? Man kam mit seinem ganzen Käfig nur an die Stange des anderen großen Käfigträgers, der genauso unberechenbar wie der erste (und wer weiß von welchem Dämon, von welcher fixen Idee getrieben) in die Irre ging – eine Anabasis, mit der man die Nachkommen wieder in ihren Schulen quälen würde. Am Ausgang des Pressehauses, des Nachrichtenschiffes, am Tannentisch der Mitteilungen traf Keetenheuve Philip Dana, der, ein lieber Gott der wahren Gerüchte, erhaben über Flut und Ebbe amtlicher Verlautbarungen, unwirsch im dürftigen Futter wühlte. Dana nahm Keetenheuve bei der Hand und führte ihn in sein Zimmer.

Der Nestor der Korrespondenten war ein Greis und schön. Er war der schönste unter den schönen und geschäftigen Greisen der Politik. Mit schlohweißem glänzendem Haar und seiner frischen geröteten Haut sah er aus, als käme er immer gerade aus dem Wind, den er sich in der Welt hatte um die Ohren wehen lassen. Man wußte nicht, ob Dana von sich aus eine Persönlichkeit war, oder ob er nur so bedeutend wirkte, weil er mit Berühmtheiten und mit Berüchtigtheiten gesprochen hatte, die vielleicht sich und der Welt nur darum das Schauspiel des großen Mannes bieten konnten, weil Philip Dana sie für würdig gefunden hatte, mit ihnen zu telephonieren. Im Grunde verachtete er die Staatsmänner, die er interviewte; er hatte zu viele von dieser Sorte aufsteigen, glänzen, fallen und manchmal am Galgen hängen sehen, was für Dana insgeheim ein erfreulicherer Anblick war, als sie rüstig und rechthaberisch in Präsidentensesseln oder mit dem befriedigten Lächeln des sanften Alterstodes im fetten

Gesicht in Staatssärgen aufgebahrt zu erblicken, während ihre Völker ihnen fluchten. Dana war seit vierzig Jahren bei allen Kriegen und allen Konferenzen, die den Schlachten folgten und den neuen Angriffen vorangingen, dabeigewesen; er hatte die Dummheit der Diplomaten mit Schaufeln geschluckt, er hatte Blinde als Führer gesehen und hatte Taube vergeblich vor heranbrausenden Katastrophen gewarnt, er hatte tollwütige Hunde erlebt, die sich Patrioten schimpften, und Lenin, Tschiangkaischek, Kaiser Wilhelm, Mussolini, Hitler und Stalin hatten vor ihm im weißen Kleid der Engel gestanden, die Taube auf der Schulter, den Palmenwedel in der Hand, und gesegnet sei der Frieden des Erdkreises. Dana hatte mit Roosevelt getrunken und mit dem Negus gespeist, er hatte Menschenfresser und wirkliche Heilige gekannt, er war Zeuge aller Aufstände, Revolutionen, Bürgerkämpfe unserer Epoche gewesen, und stets hatte er die Niederlage des Menschen konstatiert. Die Besiegten waren ihrer Sieger würdig; sie waren nur für eine Weile sympathischer, weil sie die Besiegten waren. Die Welt, der Dana den Puls gefühlt hatte, wartete auf seine Memoiren, aber es war sein Geschenk an die Welt, daß er sie nicht schrieb – er hätte nur Greuel berichten können. So saß er sanft und anscheinend weise zu Bonn in einem Schaukelstuhl (er hatte ihn sich teils der Bequemlichkeit und teils der Symbolik halber in sein Büro gestellt) und beobachtete wippend den Pendelschlag der Weltpolitik in einem kleinen, aber neuralgischen Verhältnis. Dieses Bonn war Danas Altenteil; vielleicht sein Grab. Es war nicht so anstrengend wie Korea, aber man hörte auch hier die Saat des Unverstandes aufgehen, das Gras der Uneinsicht und des Unabänderlichen wachsen. Keetenheuve kannte Dana aus alten »Volksblatt«-Tagen. Dana hatte eine Reportage Keetenheuves über den großen Berliner Verkehrsstreik, der Nazis und Kommunisten zu einer merkwürdigen, verwirrenden und hochexplosiven Einheitsfront zusammengeführt hatte, aus dem »Volksblatt« in seinen internationalen Nachrichtendienst übernommen und Keetenheuve so Leser auf der ganzen Erde verschafft. Später sah Keetenheuve Dana in London wieder. Dana schrieb ein Buch über Hitler, das er als Bestseller plante und als Bestseller absetzte; so brachte ihm sein Abscheu viel Geld ein. Keetenheuve hatte seine Antipathie für alles Braune nur arm und flüchtig gemacht, und er bewunderte Danas Tüchtigkeit nicht ganz neidlos und mit der kritischen Einschränkung, daß Danas Verführerbuch doch eben nur ein Bestseller sei, seicht und geschickt aufgemacht.

Der liebe Gott war freundlich. Er reichte Keetenheuve ein Blatt eines Nachrichtendienstes, mit dem er in Tauschverkehr stand. Keetenheuve entdeckte sofort die Meldung, auf die es Dana ankam, eine Nachricht aus dem Conseil Supérieur des Forces Armées, ein Interview mit englischen und französischen Siegergenerälen, die, Führer in der geplanten Europaarmee, im wahrscheinlichen und nun durch Verträge zu unterbauenden Lauf der Politik die Verewigung der deutschen Teilung sahen und in dieser Teilung den leider einzigen Gewinn des letzten großen Krieges. Diese Äußerung war im Bund reines Dynamit. Sie mußte von bedeutender Sprengkraft sein, wenn sie im Parlament im richtigen Moment als Bombe platzen würde. Daran war nicht zu zweifeln. Nur war Keetenheuve kein Bombenwerfer. Aber mit dieser Nachricht konnte er Knurrewahn, der davon träumte, der Mann der Wiedervereinigung zu werden (und davon träumten viele), stärken und standhaft machen. Aber hatten die Zeitungen die Meldung nicht schon aufgegriffen und grell herausgestellt, so daß die Dementis der Regierung jedem Handeln zuvorkamen? Dana verneinte. Die Bundespresse, meinte er, würde das Interview nur klein und beiläufig bringen, wenn überhaupt. Die Freude der Generäle war ein zu heißes Eisen, ein wahrer Rammbock für die Regierungsvorlage, und so würde sie höchstens schlecht placiert erscheinen, um übersehen zu werden. Keetenheuve hatte sein Dynamit. Aber er mochte keine Sprengkörper. Alle Politik war schmutzig, sie glich den Gangsterkämpfen, und ihre Mittel waren dreckig und zerreißend; selbst wer das Gute wollte, wurde leicht zu einem anderen Mephistopheles, der stets das Böse schafft; denn was war gut und was war böse auf diesem Feld, das sich weit in die Zukunft ausdehnte, weit in ein dunkles Reich? Keetenheuve blickte traurig durch das offene Fenster in den neuerlich wie Dampf sprühenden Regen. Durch das Fenster drang wieder feuchtwarm Erddunst und Pflanzengeruch eines botanischen Gartens, und bleiche Blitze durchzuckten das Treibhaus. Selbst das Gewitter schien künstlich zu sein, ein Kunst- und Unterhaltungsgewitter in den Restaurationsbetrieben des Hauses Vaterland, und Dana, der sanfte schöne und vielerfahrene Greis, war trotz des Donnergrollens ein wenig eingeschlafen. Er lag in seinem leicht bewegten Schaukelstuhl, ein wippender Beobachter, ein Schläfer und ein Träumer. Er träumte von der Göttin des Friedens, aber leider erschien ihm die Göttin im Traum in Gestalt der Irène, eines annamitischen Puffmädchens, das Dana vor gut fünfundzwanzig Jahren in Saigon besucht hatte, weich waren ihre Arme gewesen, munter wie kleine reißende Flüsse, nach Blüten duftete die Haut. Dana schlief in Irènes der Friedlichen Armen friedlich ein, und später hatte er bittere Tabletten zu schlucken bekommen. So war es mit der Göttin des Friedens. Wir spielen. *Wir spielen Räuber und Gendarm Räuber und Gendarm immer wieder immer wieder*

III

Keetenheuve hatte sich in sein Büro im Neubau des Bundeshauses, in dem der Pädagogischen Akademie angebauten
Trakt, begeben. Die Korridore und die Zimmer der Abgeordneten waren mit staubfrei gewachstem Linoleum bedeckt. Sie erinnerten in ihrer blinkenden Sauberkeit an die
aseptische Abteilung einer Klinik, und vielleicht war auch
die Politik, die hier am kranken Volk geübt wurde, steril.
Keetenheuve war in seinem Arbeitsraum dem Himmel näher, aber nicht der Klarheit; neue Wolken, neue Gewitter
zogen herauf, und der Horizont hüllte sich in bläuliche und
in giftig gelbe Schleier. Kettenheuve hatte, um sich zu konzentrieren, das Neonlicht eingeschaltet und saß, wo Tages-
schimmer und künstlicher Schein sich brachen, im Zwielicht.
Der Tisch lag voll Post, voll Bitten, voll Hilferufe; er lag voll
von Beschimpfungen und unlösbaren Problemen. Unter der
Neonleuchte guckte Elke ihn an. Es war nur ein kleines Bild
von ihr, das da stand, ein Gelegenheitsphoto mit zerzaustem
Haar in einer Trümmerstraße (und ihm lieb, weil er sie so
gefunden hatte), aber jetzt kam es ihm vor, als ob sie im Neonlicht groß wie ein flimmernder Schatten auf einer Kinoleinwand da wäre und ihn, das Haar diesmal glatt gebürstet,
mit freundlichem Spott betrachte, so, als riefe sie ihm zu:
»Da hast du deine Politik und deine Händel, und von mir bist
du befreit!« Es schmerzte Keetenheuve, sie so reden zu hören, zumal es ja eine Stimme aus dem Grab war, die zu ihm
sprach und unwiderruflich war. Er nahm Elkes Bild und
legte es weg. Er legte Elke zu den Akten. Aber was hieß das,
zu den Akten? Die Akten waren unwichtig, und was wichtig
war, ob in Akten dokumentiert oder nicht, blieb gegenwär-
tig, war ganz von selber da, bis in den Schlaf, bis in den
Traum, bis in den Tod hinein. Keetenheuve wandte sich
noch nicht der Post zu, nicht den Bitten und nicht den Be-

schimpfungen, nicht den Briefen von Berufsbettlern, Quenglern, Geschäftsleuten und Wahnsinnigen, nicht dem Schrei der Verzweiflung – er hätte gerne alle Briefe an den Abgeordneten vom Tisch gefegt. Er nahm ein Blatt seines MdB-Papiers und schrieb »Le beau navire«, »Das schöne Schiff«, auf die Seite, denn an dieses herrliche Gedicht des Frauenlobs hatte ihn nun Elke erinnert, so sollte sie in seinem Gedächtnis leben, und er versuchte, die ewigen Verse Baudelaires aus der Erinnerung zu übersetzen, »je veux te raconter, o molle enchanteresse«, ich werde dir sagen, ich werde dir erzählen, ich werde dir beichten . . ., das gefiel ihm, er wollte Elke beichten, daß er sie liebe, daß sie ihm fehle, er suchte das richtige Wort, den adäquaten Ausdruck, er sann, er kritzelte, er strich aus, er verbesserte, er versank in ästhetisch wehmütigen Gefühlen. Log er? Nein, er empfand so; die Liebe war groß und die Trauer tief, aber mit schwang ein Unterton aus Eitelkeit und Selbstmitleid und der Verdacht, daß er in der Poesie wie in der Liebe dilettiere. Er beklagte Elke, aber ihm graute auch vor der Vereinsamung, die er sein Leben lang herausgefordert hatte, und die ihm nun ganz umfing. Er übersetzte aus den »Blumen des Bösen«, »o molle enchanteresse«, mein süßes, mein weiches, mein warmes Entzücken, *o mein weiches, mein schmeichelndes, mein entzücktes Wort;* – er hatte niemand, dem er schreiben konnte. Hundert Briefe lagen auf seinem Tisch, Jammerlaute, ratloses Gestammel und Verwünschungen, aber niemand erwartete einen Brief von ihm, der nicht ein Anliegen betraf. An Elke hatte Keetenheuve seine Briefe aus Bonn geschrieben, und wenn sie vielleicht auch an die Nachwelt gerichtet waren, so war Elke doch weit mehr als eine Adresse gewesen; sie war das Medium, das ihn sprechen ließ und das ihm Kontakt gab. Bleich wie ein Verdammter saß Keetenheuve im Bundeshaus, bleiche Blitze geisterten vor dem Fenster und über dem Rhein, Wolken geladen mit

Elektrizität, beladen mit dem Auspuff der Essen des Indu-
striegebiets, dampfende trächtige Schleier, gasig, giftig,
schwefelfarben, die unheimliche ungezähmte Natur zog
sturmbereit über Dach und Wände des Treibhauses und pfiff
Verachtung und Hohn dem Mimosengewächs, dem trauern-
den Mann, dem Baudelaireübersetzer und Abgeordneten im
Neonbad hinter dem Glas des Fensters. So verging ihm die
Zeit, bis Knurrewahn ihn rufen ließ.
Sie lebten in Symbiose, in dem Zusammenleben ungleicher
Lebewesen zu gegenseitigem Nutzen; aber sie waren nicht
sicher, ob es ihnen nicht schade. Knurrewahn hätte sagen
können, er nehme durch Keetenheuve Schaden an seiner
Seele. Doch Knurrewahn, der sich vor dem Ersten Weltkrieg
selbst gebildet und mit einer schon damals nicht mehr ganz
neuen Literatur fortschrittsgläubiger Naturerkenntnis vollgestopft hatte (die Welträtsel schienen gelöst zu sein, und
nachdem er den unvernünftigen Gott vertrieben hatte,
brauchte der Mensch nur noch alles sachlich zu ordnen),
leugnete das Dasein der Seele. So war das Unbehagen, das
Keetenheuve ihm bereitete, dem Ärger eines gewissenhaf-
ten Unteroffiziers an einem Einjährigen zu vergleichen, der
das Exerzierreglement nicht begreift, schlimmer noch, es
nicht ernst nimmt. Leider brauchte die Armee Einjährige,
und die Partei brauchte Keetenheuve, der (dies ahnte Knurrewahn) vielleicht gar kein Offizier, kein Offiziersaspirant,
sondern einfach ein Hochstapler war, ein Vagabund, der aus
irgendeinem Grund, vielleicht wegen seines arroganten Be-
tragens, für einen Offizier gehalten wurde. Hier irrte Knurrewahn; Keetenheuve war nicht arrogant, er war unkonven-
tionell, und das schien Knurrewahn die vollendete Form der
Arroganz zu sein, und so war er es am Ende doch, der Keetenheuve für den Offizier hielt, während dieser selbst ohne
weiteres zugegeben hätte, irgend etwas, vielleicht ein Stro-
mer zu sein. Er achtete Knurrewahn, den er den Meister

nach altem Schrot und Korn nannte, was nicht ohne Spott, doch nicht gehässig gemeint war, während die Äußerung Knurrewahns Ohren, ihnen zugetragen, wieder ärgerlich überheblich klang. Er war aber wirklich ein Mann nach altem Schrot und Korn, ein Handwerker aus einer Handwerkerfamilie, der früh nach Wissen, dann nach Gerechtigkeit und später, weil sich Wissen und Gerechtigkeit als unsichere Begriffe entpuppt hatten, schwer zu bestimmen und immer relativ zur unbekannten Größe, nach Herrschaft und Macht gestrebt hatte. Auch Knurrewahn wollte der Welt seinen Willen nicht geradezu aufzwingen, aber er hielt sich für den Mann, sie zum Guten zu lenken. Hierzu brauchte er Mitstreiter und war an Keetenheuve geraten, der ihn nicht stärkte, sondern verwirrte. Keetenheuve war kein vierter Mann beim Skat und kein Biertrinker, und das schloß ihn aus einer warmen Runde von Männern aus, die sich abends um Knurrewahn versammelten, die den Krug hoben und die Karten auf den Tisch klopften, Männer, die das Schicksal der Partei bestimmten, mit denen aber kein Staat zu machen und nicht einmal ein Hund zu locken war.

Knurrewahn hatte viel durchgemacht; aber er war nicht weise geworden. Sein Herz war gut gewesen; nun hatte es sich verhärtet. Er war aus dem Ersten Weltkrieg mit einem Steckschuß heimgekehrt und hatte zum Erstaunen der Ärzte weitergelebt; das war zu einer Zeit gewesen, als die Mediziner noch nicht glauben wollten, daß man mit einem Herzsteckschuß weiterleben könne, und Knurrewahn war als lebender Leichnam von Klinik zu Klinik gewandert, bis er klüger als seine Ärzte geworden war, einen Posten in seiner Partei annahm und sich durch zähen Fleiß und ein wenig mit Hilfe des wunderlichen Steckschusses, der sich auf Wahlplakaten empfahl, zum Reichstagsabgeordneten hochdiente. Neunzehnhundertdreiunddreißig warfen Frontsoldaten unter Berufung auf die Frontkameradschaft Knurrewahn, der

76

das Fronterlebnis aus Blei im Herzen trug, in das Lager. Sein Sohn, bestimmt, den Aufstieg seiner Familie akademisch weiterzuführen, kam wieder nach altem Familienbrauch in die Tischlerlehre, und verbittert über die Deklassierung und aus Trotz gegen den Vater, der politisch eben leider falsch lag, und im Wahn, sich bewähren zu müssen (denn überall im Lande bewährte sich's furchtbar), meldete er sich zur Legion Condor nach Spanien, wo er als Bordwart fiel. Auch Keetenheuve hatte daran gedacht, sich nach Spanien zu melden, auch er, sich dort zu bewähren, doch auf der anderen Seite (er hatte es nicht getan, und er machte sich zuweilen noch Vorwürfe, auch hier versagt zu haben), und leicht hätte es so geschehen können, daß Keetenheuve aus einer Flakstellung um Madrid Knurrewahns Sohn vom südlichen Himmel geschossen hätte. So kreuz und quer und mitten durch die Länder liefen die Fronten, und die meisten, die da flogen oder schossen, wußten gar nicht mehr, wie sie gerade auf diese Seite der Front geraten waren. Knurrewahn begriff es nie. Er war ein nationaler Mann, und seine Opposition gegen die nationale Politik der Regierung war sozusagen deutschnational. Knurrewahn wollte der Befreier und Einiger des zerrissenen Vaterlandes werden, schon sah er sich als Bismarckdenkmal in den Knurrewahnanlagen stehen, und er vergaß darüber den alten Traum, die Internationale. In seiner Jugend hatte diese Internationale mit roten Fahnen noch die Menschenrechte vertreten. Neunzehnhundertvierzehn war sie gestorben. Die neue Zeit zog nicht mit ihr, die marschierte hinter ganz anderen Fahnen drein, und was es noch gab und sich Internationale nannte, das waren Verbände mit Ordnungsziffern hinter dem stolzen Namen, Spaltgruppen, Sekten, die kein Beispiel des Friedens boten, sondern vor aller Welt den Hader symbolisierten, indem sie sich andauernd heftig in den Haaren lagen. Vielleicht fürchtete Knurrewahn so mit Recht einen alten Fehler. Nach seiner Meinung war die Partei in der ersten deutschen Republik nicht national genug aufgetreten; sie hatte in der schon gespaltenen Internationale keinen Beistand gefunden, und in der Nation hatte sie die Massen verloren, die der eingängigen Parole des primitiven nationalen Egoismus folgten. Diesmal wollte sich Knurrewahn den nationalen Wind nicht aus dem Segel nehmen lassen. Er war für ein Heer, gebranntes Kind scheut nicht immer das Feuer, aber er war für eine Truppe von Patrioten (die große Französische Revolution legte ihm die Binde der Torheit vor die Augen, und Napoleon war vielleicht schon wieder geboren), er war für Generale, aber sie sollten sozial und demokratisch sein. Narr, meinte Keetenheuve, die Generale, diese, wenn's um ihre Karriere ging, gar nicht dummen, diese geriebenen Brüder würden Knurrewahn eine schöne Komödie vorspielen, die versprachen ihm alles, die legten sich hin und machten die Beine breit, die wollten ihre Stäbe zusammenkriegen, ihre Ranglisten aufstellen und ihre Sandkästen bauen. Was dann kam, wußte niemand. Schneider wollten nähen. Und mit dem nationalen Auftrieb war es überhaupt so eine Sache. Dieser Wind hatte sich vielleicht sogar gelegt, die nationale Regierung, schlauer, fuchsiger, segelte ein wenig mit der internationalen Brise, und Knurrewahn saß in der Flaute, wenn er national aufkreuzen wollte, statt vielleicht international das Rennen zu machen, ein Rennen mit dem Segel neuer Ideale zu neuen Ufern. Er sah sie leider nicht. Er sah weder die neuen Ideale noch das neue Ufer. Er begeisterte nicht, weil ihn nichts mehr begeisterte. Er glich sich den Volksbiedermännern aus einer billigen patriotisch sozialen Traktätchenliteratur an, er wollte ein von Hysterie und Unmoral gereinigter Bismarck, ein Arndt, ein Stein, ein Hardenberg und ein wenig ein Bebel sein. Lassalle war ein Porträt des Abgeordneten als junger Mann. Der junge Mann war tot; er hatte den Ärzten recht gegeben und den Herzsteckschuß nicht überlebt. Heute stand Knurrewahn der Schlapphut, den er nicht trug. Er polterte eigensinnig, nicht nur beim Skat, polterte eigensinnig wie der märkische Soldatenkönig und wie der alte Hindenburg, und so lief auch im politischen Leben alles wild durcheinander, die Winde wehten kreuz und quer durch die Parteien, und nur Wetterkarten, die keiner verstand, rätselhafte Verbindungslinien zwischen Punkten gleicher Wärme (die weit voneinander entfernt liegen konnten) zeigten die Fronten und warnten vor dem Tief und dem Sturm. In solcher Lage kannte Knurrewahn sich nicht mehr aus, und er klammerte sich an Keetenheuve (den Mephistopheles des guten Willens), damit er unter dem sternenlosen verhangenen Himmel das Besteck aufnehme und in Nacht und Nebel den Kurs des Schffleins bestimme.

Knurrewahn hatte sich fortschrittlich eingerichtet, in einem Stil, den er für radikal hielt und der den Anschauungen einer soliden Kunstzeitschrift entsprach. Die Möbel waren praktisch, die Sessel bequem; Möbel, Sessel, Lampen und Vorhänge erinnerten an das Schild »Modernes Chefzimmer« im Schaufenster eines Innenarchitekten gemäßigt moderner Richtung, und der von der Sekretärin gekaufte und gepflegte Strauß roter Blumen stand, genau wo er hingehörte, unter der in kraftlosen Farben gemalten Weserlandschaft. Keetenheuve überlegte, ob Knurrewahn in seinem Stuhl manchmal Indianergeschichten lese, aber der Fraktionsführer hatte keine Zeit für private Lektüre. Er hörte Keetenheuves Bericht, und mit den Generalen des Conseil Supérieur des Forces Armées traten Glanz und Falschheit in sein Zimmer, Arroganz und Perfidie der schlechten Welt, er sah die fremden Militärs in Reitstiefeln mit silbernen Sporen über den Teppich aus deutschem Garn schreiten, die Franzosen mit ausgebuchteten kokottenhaften roten Hosen und die Engländer mit kleinen Stöckchen, bereit, auf den Tisch zu trommeln. Knurrewahn war entrüstet. Er empörte sich, während Keetenheuve das Wort der Generale von der Verewigung der deutschen Teilung als dürftigem Gewinn des letzten Krieges aus dem Spezialistentum der Herren verständlich fand, das Urteil des Fachmannes war immer begrenzt, und hier war es eine Generalsmeinung, also sowieso beschränkten Verstandes. Knurrewahn teilte diese Ansicht nicht; ihn beeindruckten Generale, die Keetenheuve höchstens als Feuerwehrmänner gelten ließ. Knurrewahn brannte seine Kugel im Herzen, ihn brannte das mit seinem Fleisch verwachsene Blei, und es war ein Jünglingsschmerz, der ihn belebte und verjüngte. Er haßte. Es war zudem ein Haß, den sich der Leiter einer sozialen Friedenspartei leisten durfte, er haßte zweifach und war so doppelt legitimiert und versichert, er haßte den Landesfeind und den Klassenfeind, die sich diesmal in den gleichen Personen seiner Wut darboten. Im Grunde war es die seinen Ohren arrogant klingende Bezeichnung ihrer Körperschaft, war es der Ausdruck Conseil Supérieur des Forces Armées, der Knurrewahn reizte und den Keetenheuve ihm absichtlich elegant hingehalten hatte wie ein Torero das rote Tuch dem Stier.

Keetenheuve liebte es, Knurrewahn so erregt zu sehen. Was für ein prächtiger Mann war er doch, mit seinem breiten Schädel, und sicher hatte er in seinem Schreibtisch verschämt in einer Blechschachtel das Eiserne Kreuz und das Verwundetenabzeichen aus dem Grabenkrieg liegen, eingewickelt vielleicht in den Entlassungsschein aus dem Konzentrationslager und den Abschiedsbrief des Sohnes, bevor er zur Legion Condor ging und fiel. Aber nun mußte Keetenheuve aufpassen, daß Knurrewahn ihm nicht davonlief. Der Parteiführer wollte das Interview der Generale, die deutsche Meinung der Chefs der Europaarmee plakatieren. Er wollte die Worte *Ewige Teilung* an die Mauern schlagen lassen und so sich an das Volk wenden: »Seht, wir sind verraten und verkauft, dahin führt der Kurs der Regierung!« Eine solche Aktion hieß aber die Bombe für das Parlament entschärfen; sie würde dem Kanzler die Dementis liefern oder Beistandserklärungen der europäischen Regierungen, bevor der Fall im Plenum überhaupt zur Sprache kam, und gemein und perfide würde am Ende nur der Plakateur genannt werden. Die mögliche Erregung im Volk war nicht hoch einzusetzen; die Regierung würde sich durch die Volksmeinung nicht stören lassen. Knurrewahn dachte, die Sätze der Generale, die sich in einem Conseil Supérieur so erfreut über die deutsche Teilung geäußert hatten, ließen sich nicht einfach dementieren, aber Keetenheuve wußte, daß die Staatsmänner in England und Frankreich ihre Generale berichtigen würden. Sie würden sie zur Ordnung rufen, denn (hier war Keetenheuve wieder voreingenommen) fremde Generale ließen sich zurechtweisen, sie waren Staatsdiener, wenn auch nicht sympathisch, während deutsche Generale sofort wieder die tatsächliche Macht im Staat verkörpern und die ihnen natürlich scheinende Ordnung, den Primat des Militärischen über das Politische, herstellen würden. Der deutsche General war für Keetenheuve ein Krebs des deutschen Volkes, und an dieser Meinung änderte auch die Achtung nichts, die er für die von Hitler ermordeten Generale empfand. Er verabscheute die alten Kommißköpfe, die mit der Miene väterlicher Biedermänner die erwachsenen Bürger des Staates mit »meine Jungens« oder »meine Söhne« anzureden wagten, um dann diese Jungen und Söhne in das Maschinengewehrfeuer zu jagen. Keetenheuve hatte das Volk an der Generalskrankheit leiden und sterben sehen; und wer, wenn nicht die Generale, hatten den Braunauer Bazillus großgezogen! Die Gewalt hatte immer nur Unglück gebracht, nur Niederlagen, und Keetenheuve setzte auf die Gewaltlosigkeit, die, wenn nicht das Glück, doch zumindest den moralischen Sieg sichern mußte.

Ob das dann der berühmte Endsieg war? So war Keetenheuve mit Knurrewahn, der ehrlich von einem deutschen Volksheer und einem deutschen Volksgeneral träumte, der, ein schlichter sportlicher Mann in grauer Bergsteigertracht, mit seinen Soldaten dieselbe Suppe aß, die er auch, immer ein braver sorgender Vater, mit seinen Gefangenen teilen würde, in diesem Punkt nur auf Zeit verbunden. Er wollte, daß niemand mehr gefangen wurde, und so brauchte er Knurrewahn, um gegen die Armeeidee des Kanzlers zu frondieren, aber der Tag würde kommen, wo er sich gegen des Freundes noch viel gefährlichere Volksheerpläne wenden mußte. Keetenheuve war für reinen Pazifismus, für ein endgültiges Die-Waffen-Nieder! Er wußte, welche Verantwortung er auf sich nahm, sie bedrückte ihn und ließ ihn nicht schlafen, aber, wenn er sich auch ohne Bundesgenossen sah, ohne Freund in West und Ost und verkannt hier wie dort, die Geschichte schien ihn zu lehren, daß der Verzicht auf Wehr und Gewalt niemals zu solchem Übel führen konnte wie ihre Anwendung. Und wenn es keine Heere mehr gab, würden die Grenzen fallen; auf die zur Zeit der Flugzeuge ganz und gar lächerlich gewordene Souveränität der Länder (man flog dem Schall davon, respektierte aber von Irrsinnigen in die Luft hineingedachte Korridore) würde verzichtet werden und der Mensch würde frei und freizügig, ja wahrhaft vogelfrei sein. Knurrewahn gab nach. Ihm deuchte zwar, er gebe zu oft und zu viel nach, aber er gab wieder nach, dämmte seinen Zorn zurück, und sie beschlossen, daß Keetenheuve die kleine Siegrede der Generale in der Debatte über die Sicherheitsverträge überraschend zitieren solle.

Er ging zurück in sein Zimmer. Er setzte sich zurück ins Neonlicht. Er ließ die Röhren weiterleuchten, obwohl der Himmel jetzt klar und hell war und die Sonne für einen Augenblick alles in ein gleißendes Licht tauchte. Der Rhein funkelte. Ein Ausflugsdampfer mühlte weiß in der spritzenden Gischt seiner Wasserräder vorbei, und die Passagiere deuteten mit Fingern auf das Bundeshaus. Keetenheuve war geblendet. Die Übersetzung des »Beau navire«, des »Schönen Schiffes«, sie blieb unvollendet zwischen den ungeöffneten Briefen liegen, und neue waren schon wieder hinzugekommen, neue Schreiben, neue Notschreie, neue Klagen, neue Beschwerden, neue Verwünschungen an den Herrn Abgeordneten, das strömte wie draußen das Wasser des Flusses, von Briefträgern und Boten treulich geschöpft, auf den Tisch und riß nicht ab. Keetenheuve war der Adressat einer Nation von Briefschreibern; es saugte ihn aus, und nur die Intuition des Augenblicks rettete ihn vor dieser Flut, in der er sonst zu ersticken meinte. Er entwarf die Rede, die er im Plenum halten wollte. Er würde glänzen! Ein Dilettant in der Liebe, ein Dilettant in der Poesie und ein Dilettant in der Politik – er würde glänzen. Und von wem soll das Heil kommen, wenn nicht von einem Dilettanten? Die Fachmänner marschierten auf alten Wegen in die alten Wüsten. Sie hatten noch nie woanders hingeführt, und nur der Dilettant schaute wenigstens nach dem Gelobten Land aus, nach dem Reich, in dem Milch und Honig fließen würde. Keetenheuve schenkte sich einen Kognak ein. Der Gedanke, daß irgendwo Honig fließen sollte, war ihm unsympathisch. Auch die Beschreibung des Gelobten Landes durfte man nicht wörtlich nehmen; darum fanden es die Kinder auch nicht, wurden müde, wuchsen auf und ließen sich als Fachanwälte für Steuerrecht nieder, was alles über den Zustand der Welt sagt. Aus dem Paradies war man vertrieben worden. Das stand fest. Gab es einen Weg zurück? Zu sehen war auch nicht der schmalste Pfad, aber vielleicht war er unsichtbar, und vielleicht gab es Millionen und aber Millionen unsichtbarer Steigen, die ständig vor jedem lagen und nur darauf warteten, begangen zu werden. Keetenheuve mußte nach seinem Gewissen handeln; doch auch das Gewissen war sowenig zu sehen und zu greifen wie der rechte Weg, und nur zuweilen glaubte man es pochen zu hören, was wiederum mit Kreislaufstörungen erklärt werden konnte. Das Herz schlug unregelmäßig, und seine Schrift auf dem glatten MdB-Papier verschnörkelte. Frost-Forestier rief an und fragte, ob Keetenheuve mit ihm essen wolle. Er würde ihm seinen Wagen schicken. War es die Kriegserklärung? Keetenheuve meinte es. Er nahm die Einladung an. Es war soweit. Sie wollten ihn abtun. Sie wollten ihm die Pistole auf die Brust setzen, ihn erpressen. Mergentheim hatte es schon gewußt. Nun gut, er würde kämpfen. Er ließ die Briefe, er ließ die Akten, er ließ die Baudelaireübertragung, seine Notizen zur Debatte und das Blatt des Nachrichtendienstes, das Dana ihm gegeben hatte, er ließ alles offen im Neonlicht liegen, das er zu löschen vergaß, denn noch schien die Sonne und brach sich in tausend Prismen im Spiegel des Flusses und in den Wassertropfen auf den grünen Blättern in den Wipfeln der Bäume. Es leuchtete, blendete, glitzerte, funkelte, blitzte. Die Automobile der Regierung sehen wie amtliche schwarze Särge aus, sie haben etwas phantasielos Zuverlässiges, sind von gedrungenem Bau, kosten viel, stehen jedoch in dem Ruf, solid und sparsam, dazu noch repräsentabel zu sein, und Minister, Räte und Beamte fühlen sich gleichermaßen zur Solidität, zur Sparsamkeit und zum Repräsentativen hingezogen. Frost-Forestiers Amt lag vor der Stadt, und Keetenheuve wurde solid, sparsam und repräsentabel durch kleine Rheindörfer gefahren, die verfallen waren, ohne historisch, enggassig, ohne romantisch zu sein. Die Dörfer sahen verkommen aus, und Keetenheuve vermutete hinter den bröckelnden Mauern mißmutige Menschen; vielleicht verdienten sie zuwenig; vielleicht drückten sie Abgaben; vielleicht waren sie aber nur deshalb mißmutig und ließen ihre Häuser verkommen, weil so viele schwarze Wagen mit wichtigen

Persönlichkeiten vorüberfuhren. Und zwischen den alten, verfallenen Dörfern, verloren, einsam, zerstreut, auf Kohläckern, Brachen und mageren Weiden standen die Ministerien, die Ämter, die Häuser der Verwaltung, sie waren in alten Hitlerbauten untergekrochen, schrieben ihre Akten hinter Speerschen Sandfassaden und kochten ihre Süpplein in alten Kasernen. Die hier geschlafen hatten, waren tot, die man hier geschunden hatte, waren gefangen, sie hatten's vergessen, sie hatten's hinter sich, und wenn sie lebten und frei waren, bemühten sie sich um Renten, jagten Stellungen nach – was blieb ihnen übrig? Es war das Regierungsviertel einer Exilregierung, durch das Keetenheuve im Regierungswagen fuhr, Wächter wachten hinter sinnlos ins Feld gesteckten Zäunen, es war ein Gouvernement, das auf Gastfreundschaft und Wohlwollen angewiesen war, und Keetenheuve dachte: Es ist ein Witz, daß ich der Regierung nicht angehöre; es wäre meine Regierung – exiliert von der Nation, exiliert vom Natürlichen, exiliert vom Menschlichen (doch träumte er von der Menschen Brüderschaft). Auch Uniformierte wanderten auf der Straße zu Frost-Forestier. Sie hatten ihre Unterkunft in der Gegend; aber sie gingen einzeln fürbaß mit dem Schritt der Staatsangestellten und marschierten nicht schon in Haufen wie richtige Soldaten. Waren sie Bereitschaftspolizisten, waren sie Grenzschützler? Keetenheuve wußte es nicht; er war entschlossen zu jeder Charge, sollte er sie erkennen, »Herr Oberförster« zu sagen.

Frost-Forestier saß in einer alten Kaserne und herrschte über ein Heer; doch war es ein Heer von Sekretärinnen, das er in Atem hielt. Hier wurde in Stachanowschichten gearbeitet, und Keetenheuve wurde schwindlig, als er sah, wie eine Sekretärin gleich zwei Telephonapparate auf einmal bediente. Welche Scherze für Kinder waren hier möglich, und welche Partner konnte man miteinander verbinden!

Wenn die Nation an Keetenheuve schrieb, die Welt telephonierte mit Frost-Forestier. War Paris am Apparat, Rom, Kairo, Washington? Rief man aus Tauroggen schon an? Was wollte der Dunkelmann aus Basel am Draht? Hatte er sich verfangen? Oder sangen Geschäftspartner, die in Bonn im Hotel Stern warteten, ihr Lied aus der Telephonmuschel in die Ohrmuschel der Damen? Es scheppterte, bimmelte, summte in Dur und Moll, ein andauerndes Armsünderläuten, ein fortwährendes Beichtstuhlgeflüster, und immer wieder wisperten die Mädchenstimmen, »nein, Herr Frost-Forestier bedauert, Herr Frost-Forestier kann nicht, ich werde es Herrn Frost-Forestier ausrichten« – Herr Frost-Forestier hatte keinen amtlichen Titel.

Der Vielverlangte ließ den Gast nicht warten. Er kam sofort, begrüßte Daniel in der Löwengrube und lud ihn ins Casino ein. Keetenheuve stöhnte. Der Feind rückte mit schweren Waffen an. Das Casino, ein scheunenartiger Raum, in dem es penetrant nach ranzigem Fett, heiß nach verbranntem Mehl dunstete, war gefürchtet. Es gab Deutsches Beefsteak Esterhazy auf Püree, Fleischbällchen mit Bohnengemüse auf Püree, Schellrippchen mit Sauerkraut auf Püree, und ganz unten auf der Speisekarte stand »Schnullers Feinschmeckersuppen geben jedem Essen eine festliche Note«. Es war Taktik von Frost-Forestier (eine billige Taktik), den Abgeordneten, dessen gourmandise Neigungen bekannt waren, in das Casino zu bitten. Er wollte Keetenheuve an die dürftigen Schüsseln erinnern, zu denen man hinabsinken konnte. Links und rechts saßen an wachstuchüberzogenen Tischen Sekretärinnen und Angestellte und aßen das Deutsche Beefsteak Esterhazy. Was hat Esterhazy den Köchen getan, daß sie alle verbrannten Zwiebelgerichte nach ihm nennen? Keetenheuve wollte sich erkundigen. Frost-Forestier gab zwei Blechmarken für ihr Essen ab. Sie bestellten Matjesfilet mit grünen Bohnen, Specktunke und

Kartoffeln. Der Matjes war ein alter Salztonnenbewohner. Die Specktunke war schwarz und hatte schleimige Mehlbatzen. Auch die Kartoffeln waren schwarz. Frost-Forestier speiste mit Appetit. Er aß den Hering auf, quetschte die schwarzen Kartoffeln in die schwarze Sauce und ließ auch von den strohfädigen Bohnen nichts auf dem Teller. Keetenheuve staunte. Vielleicht täuschte ihn alles, und Frost-Forestier aß nicht mit Appetit und war kein Mensch; vielleicht war er eine Hochleistungsmaschine, ein raffiniert konstruierter Allesschluckmotor, der sich zu bestimmter Zeit mit Brennstoff füllen mußte und in der Notwendigkeit kein Vergnügen sah. Während er sich vollstopfte, erzählte er Geschichten vom Klassenkampf und von der Hierarchie in den Ämtern und deutete unbefangen auf die Beispiele, die herumsaßen. Der Sachbearbeiter für Stahl sprach außer Dienst nicht mit dem Referenten für Gußeisen, und das Fräulein, das englisch stenographierte, aß die Schellrippchen auf Sauerkraut und Püree nicht am Tisch des armen Wesens, das nur die deutsche Kurzschrift gelernt hatte. Schönheit war aber selbst hier begehrt und bevorzugt, und Frost-Forestier berichtete von trojanischen Kriegen, die zwischen den Büros entbrannten, wenn der Personalchef ein hübsches Mädchen anzubieten hatte, und Helena durfte, beneidet, befeindet, mit dem Berichterstatter für Flurschäden Fleischbällchen auf Püree verzehren. *Auch ein Hermaphrodit ein lieblicher war da zu sehen*

Was war? Er fühlte sich an einen Sänger erinnert, an einen Flüsterer. *Ein Hermaphrodit ein lieblicher. Wo war das? Am Meer, am Strand? Vergessen. Sagesse, ein Gedicht von Verlaine. Weisheit, schön und melancholisch. Ich küsse Ihre Hand, Madame. Ein Sänger. Weibisch. Strandgut. Ich küsse Ihre Hand. Flüsterer. Wie hieß er? Paul. Küsse Ihre Hand, Herr Paul. Monsieur Frost. Frost-Forestier, der Matjesmotor, die Specktunkenhochleistungsmaschine. Das Denkelek-*

tron. Zweitonbändermann. Stahlgymnast. Männlich. Ruhi-
ges Membrum. Was will er? Der Hering wird abserviert.
Armer Fisch. Witwer. In Salz gelegt. Frost-Forestier Jungge-
selle. Leidenschaftslos. Unbestechlich. Frost-Forestier der
Unbestechliche. Robespierre. Keine große Revolution. Weit
und breit nicht. Spürt's im Urin. Was? Einen Kitzel? Gefähr-
lich leben. Latriniert mit Landsern. Latrinienparolen. Infor-
miert Dunkelmänner. Kohlenklau Feind hört mit. Dunkler
Ätherdschungel. Latrinen. Pißt Wellen in den Äther. Latri-
nen. Hakenkreuz an der Wand. Die Interessenvertreter.
Kennen ihren Referenten. Bockbier. Pisse. Er sagte: »Gibt es
hier was zu trinken?« *Nein. Es gab nicht. Nicht für ihn. Kaf-*
fee und Limonade. Kaffee beschleunigte den Herzschlag.
Ging nicht. Schlug schon beschleunigt. Schlug schon im Hals.
Die blasse Limonade der Evolution aufbrausend und aufsto-
ßend. Was also? Frost-Forestier bestellte einen Kaffee. *Was*
also? Was wollte er? Frost-Forestier fragte ihn was. Er sah
ihn an. »Kennen Sie Mittelamerika?« fragte er. Er fügte hinzu: »Ein interessantes Land.« *Nein meine Schlange nicht*
aus dem Pfeffergebüsch, wüßtest es doch, wenn ich dort ge-
wesen wäre, hättest es bei den Akten. Hilft dir nichts. Ich helfe
dir nicht. Jetzt hilft wieder nur der britische Major. Sir Felix
Keetenheuve, Commander, Member of Parliament, Royal
Officers Club, warf Bomben auf Berlin.
»Nein. Ich war nicht in Mittelamerika. Ich hatte einmal einen honduranischen Paß, wenn Sie darauf anspielen. Den
habe ich gekauft. Man konnte das. Ich durfte mich mit dem
Paß überall sehen lassen, nur nicht in Honduras.« *Warum*
verrat' ich's ihm? Butter auf sein Brot. Gleichgültig. Keeten-
heuve Paßfälscher. Ich ließ mich in Scheveningen sehen.
Weißt du, das Meer, der Strand, die Sonnenuntergänge? Ich
saß vor dem Café Sport, und der Sänger setzte sich zu mir. Er
setzte sich zu mir, weil er allein war, und ich ließ ihn bei mir
sitzen, weil ich allein war. Die jungen Mädchen gingen vor-

über, Prousts »jeunes filles en fleurs« vom Strand von Bal-
beck. Albertine, Albert. Die jungen Männer gingen vorüber.
Mädchen und Jünglinge promenierten über den Seeboule-
vard, sie schwammen durch das Abendlicht, ihre Körper
glühten, der versinkende Sonnenball funkelte durch ihre dün-
nen Kleider. Die Mädchen hoben die Brüste. Wer waren sie?
Verkäuferinnen, Handelsschülerinnen, Modistinnen. Der
Friseurlehrling von der Haager Plein. Sie war nur eine Ver-
käuferin in einem Schuhgeschäft – auch das hatte der Sänger
in seiner guten Zeit auf Schallplatten geflüstert, sanft und tan-
tig. Er wurde umgebracht. Wir blickten den Mädchen und
den Burschen nach, und der Sänger sagte: Sie sind geil wie
Affenscheiße. Was war? Er mußte sich zusammenreißen, er
hatte nicht zugehört. Frost-Forestier sprach nicht mehr von
Mittelamerika, er redete von Keetenheuves Partei, die bisher zu kurz gekommen sei bei der Verteilung der diplomatischen Posten, nun, auch die Regierung denke verständli-
cherweise zuerst an ihre Freunde, freilich sei so zu verfahren
nicht immer gerecht, andererseits fehle es Keetenheuves
Gruppe an geeigneten Leuten, und wenn sich einer fände,
nun, kurz und gut, Frost-Forestier fühlte vor, er zeigte, was
er gesponnen hatte, noch war alles inoffiziell natürlich, der
Kanzler wußte nichts, aber sicher, er würde zustimmen –
Frost-Forestier bot Keetenheuve die Gesandtschaft in Guatemala an. »Ein interessantes Land«, wiederholte er. »Et-
was für Sie! Interessante Menschen. Eine linke Regierung.
Aber keine kommunistische Diktatur. Eine Republik der
Menschenrechte. Ein Experiment. Sie wären der Mann, die
Entwicklung für uns zu beobachten und die Beziehungen zu
pflegen.«
Keetenheuve Gesandter Keetenheuve Exzellenz. Er war ver-
blüfft. Aber die Ferne lockte ihn, und vielleicht war es die
Lösung aller Probleme. All seiner Probleme! Es war Flucht.
Es war wieder Flucht. Es war die letzte Flucht. Sie waren

nicht dumm. Aber vielleicht war es auch die Freiheit; und er wußte, daß es die Pensionierung war. *Keetenheuve Staatspensionist.* Er sah sich in Guatemala-City von der säulengeschmückten Veranda eines spanischen Hauses die unter der Sonne glühende staubige Straße, die staubbedeckten Palmen, die staubschweren verdorrten Kakteen beobachten. Wo die Straße sich zum Platz weitete, dämpfte der Staub in der Anlage die obszönen Farben der Kaffeeblüten, und das Denkmal des großen Guatemalteken schien in der Hitze zu schmelzen. Üppige lautlose Automobile, ratternde feuerrote Motorräder sprangen aus dem Sonnendunst, fuhren vorüber und lösten sich wie Visionen im Glast wieder auf. Es stank nach Benzin und nach Verwesung, und hin und wieder peitschte ein Schuß. Vielleicht war es die Rettung, vielleicht war es die Chance, alt zu werden. Er würde Jahre auf dieser säulengeschmückten Terrasse verweilen und Jahre die heiße staubige Straße beobachten. Er würde in Abständen einen Bericht nach Hause senden, den niemand lesen würde. Er würde unendlich viel bitteres gasiges Sodawasser trinken, und am Abend würde er den fauligen Geschmack des Wassers mit Rum vermischen. Er würde die Übersetzung des »Beau navire« vollenden, er würde in Gewitternächten zu Elke sprechen, vielleicht auch die Briefe an den Abgeordneten beantworten, was keinem mehr nützte, und eines Tages würde er sterben – auf dem Regierungsgebäude von Guatemala und vor den spanischen Veranden der anderen diplomatischen Vertretungen wird man halbstock flaggen. *Exzellenz Keetenheuve der Deutsche Gesandte sanft entschlafen*

Frost-Forestier drängte. Seine Sekretärinnen riefen ihn, seine Telephonapparate, seine Magnetophone. Keetenheuve schwieg. War der Speck nicht fett genug? Scheute die Maus noch die Falle? Frost-Forestier erwähnte, daß Keetenheuve als Gesandter in den diplomatischen Dienst über-

nommen war. Was für Aussichten! Wenn Keetenheuves
Partei bei den Wahlen siegte, war Keetenheuve Außenminister. »Und wenn die Regierung wieder wechselt, werden Sie
unser Botschafter in Moskau!« Frost-Forestier glaubte nicht
an den Wahlsieg der Opposition.

Keetenheuve sagte: »Ich wäre Persona ingrata.«

Frost-Forestier lächelte schmalmündig: »Vielleicht arbeitet
die Zeit für Sie.« Spürte er's wieder im Urin? Kamen sie
noch zusammen?

Er ging zurück in seine Kaserne, zurück zu den zwitschern-
den Mündern seiner Sekretärinnen, zu den summenden
Drähten, zur geheimnisvollen drahtlosen Verständigung aus
der Luft. Keetenheuve ließ sich nach Godesberg fahren, in
die Stadt der, wie die Sage ging, fünfzig pensionierten Ober-
bürgermeister, die alle nun einem großen Vorbild nach-
strebten und wie Morgensterns Polyp erkannt hatten, wozu
sie in die Welt gesetzt, zur Staatsführung natürlich, und sie
übten sie am Familientisch. Über den Napfkuchen stülpte
sich schon unsichtbar der Ehrendoktorhut. Wenn er nach
Guatemala ging, würde man Keetenheuve wohl einen
schwarzen Regierungswagen mit auf die Reise geben, vielleicht sogar das neue Modell, bei dem die Repräsentation
ganz über die Sparsamkeit gesiegt hatte. Keetenheuve
strebte Godesberg zu, weil er nach dem salzigen Hering und
der wenn auch inoffiziellen Ernennung zur Exzellenz nach
Diplomatenart speisen wollte, und wo konnte man das besser als auf der berühmten Rheinterrasse der großen diplomatischen Blamage? Er war allein in der Halle, allein auf
dem Teppich, der Teppich war neu; vielleicht hatte der Führer den alten Perser zum Frühstück verspeist, weil
Chamberlain und die Herren vom Foreign Office sich verspätet hatten und seine Neurasthenie das Warten nicht ver-
trug. Jetzt mochten sich Manager hier erholen. Der Führer
war eine Fehlinvestition gewesen, oder war er es nicht gewe-

sen? Ein Dilettant soll nicht urteilen. Vielleicht hatte sich der Retter rentiert. Wieviel Millionen Tote? Die Essen rauchen. Die Kohle wird gefördert. Die Erzöfen brennen. Weiß glüht der Stahl. Auch Keetenheuve sah wie ein Manager aus. Er hatte seine Aktenmappe bei sich; die gewichtige Aktenmappe des Abgeordneten. Gedichte von Cummings, Verlaine, Baudelaire, Rimbaud, Apollinaire – er trug sie im Kopf. *Keetenheuve Manager, Keetenheuve Exzellenz, Keetenheuve Sir, Keetenheuve Verräter, Keetenheuve der Mann, der das Gute will.* Er ging auf die Terrasse. Er setzte sich an den Rhein. Vier Kellner beobachteten ihn. Dunst. Gewitterdunst. Treibhausluft. Sonnenglast. Die Fenster des Treibhauses waren schlecht geputzt; die Lüftung funktionierte nicht. Er saß in einem Vakuum, dunstumgeben, himmelüberwölbt. Eine Unterdruckkammer für das Herz. Vier Kellner näherten sich leise; Todesboten, feierlich in Fräkken, eine erste Aufwartung, eine Offerte? »Einen Kognak, bitte.« Ein Kognak regt an. »Einen Kognak Monnet!« Was treibt auf dem Rhein? Stahl, Kohle? Die Flaggen der Nationen über schwarzen Kähnen. Tief in den Strom gesargt, im Bett neuer Sagen schwimmend, sagenhafte Bilanzen, die Volksmärchen der Abschreibungen, die Substanz unangetastet, Umstellung eins zu eins, immer davongekommen, das Erz, die Kohle, von Hütte zu Hütte, vom Ruhrrevier nach Lothringen, von Lothringen zurück ins Revier, Ihr Europa, meine Herren *Besuchen Sie die Kunstschätze der Villa Hügel,* und die Hosen der Rheinschifferfrau, Hosen von Woolworth aus Rotterdam, Hosen von Woolworth aus Düsseldorf, Hosen von Woolworth aus Basel, Hosen von Woolworth aus Straßburg, die Hosen hängen an der Leine über dem Deck, baumeln im Westwind, die mächtigste Flagge der Erde, rosa rosenrot über den tückischen Kohlen. Ein kleiner Spitz, weiß und energisch, ein kleiner Spitz, sehr von sich eingenommen, wedelt deckauf und deckab.

Drüben am anderen Ufer gähnt die Siesta der pensionierten Rosendörfer. Er bestellte Salm, einen Salm aus dem Rhein, und gleich bereute er's, im Geiste sah er die Kellner springen, die feierlichen befrackten Empfangsherren des Todes, albern übereifrig wie tolpatschige Kinder, albern überwürdig wie tolpatschige Greise torkelten sie zum Ufer, stolperten über Stock und Stein der Flußlände, hielten Käscher in den Strom, deuteten zu Keetenheuve zur Terrasse hinauf, nickten ihm zu, wähnten sich seines Einverständnisses sicher, fingen den Fisch, reckten ihn hoch, den schönen, den goldschuppenen Salm in glänzender Rüstung, wie Gold und Silber schwuppte er ins Netz, von Lemuren aus seinem starken Element gerissen, aus seiner guten Welt des murmelnden, Geschichten erzählenden Wassers – o das Ertrinken in Licht und Luft, und wie hart blitzt in der Sonne das Messer! Keetenheuve wurde der Salm geopfert. *Keetenheuve Gott dem sanfte Fische geopfert werden.* Er hatte es wieder nicht gewollt. Versuchung! Versuchung! Was tat der Anachoret? Er mordete die Heuschrecken. Der Fisch war tot. Der Wein war mäßig. Exzellenz Keetenheuve aß sein Diplomatenmahl mit gemäßigtem Appetit.

Er führte diplomatische Gespräche. Wer waren seine Gäste? Herr Hitler, Führer, Herr Stendhal, Konsul. Wer servierte? Herr Chamberlain, Ehrenwert.

Hitler: Diese Luft ist eine milde; die Rheinlandschaft ist eine historische; diese Terrasse ist eine anregende. Schon vor neunzehn Jahren –

Stendhal: Meine Bewunderung und meine Verehrung! O jung zu sein, als Sie von dieser Terrasse nach Wiessee aufbrachen, um Ihre Freunde zu killen! Wie bewegt mich das Schicksal der Jünglinge. Wie erregen mich die Romane unter Ihrer Ägide. Als Intendanturrat wäre ich Ihrem Heerbann gefolgt. Ich hätte Mailand wiedergesehen, Warschau und die Beresina. Mit Mann und Roß und Wagen hat sie der

Herr geschlagen. Sie zitierten das Gedicht nach Ihrem Sieg über Polen. Sie sprachen im Reichstag. Sie belehnten Ihre Heerführer mit Marschallstäben und mit Liegenschaften in Westpreußen. Ein paar ließen Sie hängen. Andere erschossen sich gehorsam. Einem schickten Sie Gift. Und all Ihre strahlenden Jünglinge, Ihre Helden der Luft, Ihre Helden der See, Ihre Helden im Panzer, und Ihre Knaben in Berlin, Herr Hitler! Was machen Ihre Literaten, Herr Keetenheuve? Sie übertragen Baudelaire. Wie schön, wie tapfer! Aber Narvik, die Cyrenaika, der Atlantik, die Wolga, alle Richtstätten, die Gefangenenlager im Kaukasus und die Gefangenenlager in Iowa. Wer schreibt das? Die Wahrheit interessiert, nichts als die Wahrheit –

Keetenheuve: Es gibt hier überhaupt keine Wahrheit. Nur Knäuel von Lügen.

Stendhal: Sie sind ein impotenter Gnostiker, Herr Abgeordneter.

Die Lügenknäuel formieren sich in der Luft über dem Rhein zu einem Ballett und zeigen schmutzige Reizwäsche.

Hitler: Jahre kämpfte ich in meinen Tischgesprächen für das Germanisch-Historische Institut der Vereinigten Illustrierten Zeitschriften für eine Säuberung der deutschen Kultur von erstens jüdischen, zweitens christlichen, drittens moralisch sentimentalischen und viertens kosmopolitisch international pazifistisch blutrünstigen Einflüssen, und ich kann Ihnen heute versichern, daß mein Sieg ein globaler ist.

Über den Rhein rollen sechs Erdkugeln. Sie sind bewimpelt und bewaffnet. Lautsprecher brüllen: Die Fahne hoch! Chamberlain zittern die Hände. Er schüttet die zerlassene Butter auf das Tischtuch und sagt: Peace in our time.

Aus dem Wasser hebt sich der Leichnam der Tschechoslowakei und stinkt. Die Vorsehung ist im Bauch des Leichnams gefangen und wandert ratlos auf und ab. Drei Lautsprecher kämpfen gegeneinander. Der eine schreit:

Planmäßig! Der andere brüllt: Plansoll! Der dritte singt den Chor aus der Dreigroschenoper: Ja, mach nur einen Plan. Lautsprecher eins und Lautsprecher zwei fallen wütend über Lautsprecher drei her und verprügeln ihn.

Senator McCarthy schickt zwei Lügendetektoren herüber, um den Fall zu untersuchen.

Der erste Lügendetektor wendet sich an Hitler: Herr Hitler, haben Sie jemals der Kommunistischen Partei angehört?

Hitler: Als unbekannter Gefreiter entschloß ich mich, Politiker zu werden und den bolschewistischen Untermenschen, der nie wieder, das können Sie mir glauben, sein Haupt erheben wird ...

Der Zeiger des Lügendetektors wedelt freundlich.

Hitler aber sieht ihn an, unterbricht sich und schreit aufgebracht: Zeigen Sie mir mal Ihren arischen Nachweis!

Der erste Lügendetektor ist sehr verwirrt. Eine Sicherung brennt in ihm durch, und er muß sich verstört zurückziehen.

Der zweite Lügendetektor wendet sich an Keetenheuve: Waren Sie Mitglied der Kommunistischen Partei?

Keetenheuve: Nein. Niemals.

Der zweite Lügendetektor: Haben Sie am neunten August neunzehnhundertachtundzwanzig aus der Berliner Staatsbibliothek »Das Kapital« von Karl Marx entliehen und haben Sie am Abend zu Ihrer damaligen Freundin Sonja Busen geäußert, sie solle ihr Hemd anbehalten, es sei nun wichtiger, »Das Kapital« zu studieren?

Keetenheuve erschrickt und schämt sich. Der Zeiger des Lügendetektors schlägt heftig nach links. Aus dem Rhein heben sich die Rheintöchter. Sie tragen die horizontblauen, erotisierenden Uniformen der Luftstewardessen und singen: Wagalaweia, du kommst nicht nach Amerika, wagalaweia, du bleibst da.

Keetenheuve ist zerknirscht.

Stendhal versucht, Keetenheuve zu trösten: Guatemala ist

auch nicht langweiliger als Civitavecchia, wo ich Konsul war. Fahren Sie nicht in Urlaub. Da trifft Sie der Schlag.

Keetenheuve sieht Chamberlain vorwurfsvoll an und sagt: Aber Beck und Halder wollten doch putschen! Bedenken Sie, Beck und Halder wollten ihm an die Kehle!

Hitler schlägt sich belustigt aufs Knie und lacht mit nachtwandlerischer Sicherheit.

Chamberlain blickt furchtbar traurig auf die Reste des Fisches, die er abräumt. Er flüstert: Ein General, der putschen will, ist kein Partner für das Vereinigte Königreich; der General, der erfolgreich geputscht hat, mag am Hof von St. James aufwarten.

Er mußte gehen. Es war Zeit. Die vier Kellner umstanden ihn. Bald würden sie wieder Generalen servieren. Es war wohl unvermeidlich. Die Rosendörfer am anderen Ufer erwachten aus ihrer Siesta. Man rüstete den Kaffeetisch. Auch an ihn würden Generale geladen werden. Die Rosendörfer wollten ihre Generale wiederhaben. Sie fühlten sich wie Rosenblätter auf einem schwarzen Tümpel. Was konnte nicht alles aus der Tiefe heraufsteigen? Kröten, Algen, getötete Frühgeburten. Vielleicht sprang eine Kröte aufs Rosenblatt, hüpfte an den Tisch und sagte: »Ich übernehme den Haushalt.« Da war es gut, wenn ein General seinen Säbel hatte. Die Kellner verneigten sich. Er gab immer zu hohe Trinkgelder, und es war gut, daß er zu hohe Trinkgelder gab, denn so entließen ihn die Empfangsherren des Todes für diesmal noch gnädig.

Frost-Forestiers schwarzer Regierungswagen hatte auf Keetenheuve gewartet. Frost-Forestier wollte Keetenheuve weiter an die Annehmlichkeiten gewöhnen, die der Bund und das Leben den hohen Beamten und den Gesandten gewähren. Als er in den Wagen stieg, sah Keetenheuve das Haus der französischen Hohen Kommission, und auf dem Dach des Hauses wehte die Trikolore. »Le jour de gloire est arrivé!« War er da, der Tag des Ruhmes? War er immer wieder da? Seit hundertfünfzig Jahren ein Tag des Ruhmes nach dem andern? Es war noch nicht lange her und schien doch vor so langer Zeit gewesen zu sein. Es war noch nicht lange her, und die Trikolore wehte in Amerika, man errichtete der Freiheit eine Statue »qu'un sang impur abreuve nos sillons«. Seit eineinhalb Jahrhunderten schrien die Nationen nach unreinem Blut, tränkten sie die Furchen. Sie konnten gar nicht genug unreines Blut auftreiben, um den ungeheuren Bedarf zu decken: deutsches, russisches, englisches, französisches, italienisches, spanisches, amerikanisches Blut, Blut vom Balkan und Blut aus Asien, Negerblut, Judenblut, Faschistenblut, Kommunistenblut, ein entsetzlicher Blutsee, der Zufluß versiegte nicht, so viele Menschenfreunde hatten an den Blutkanälen gebaut, so viele, die das Gute wollten, die Enzyklopädisten, die Romantiker, die Hegelianer, die Marxisten und all die Nationalisten. Keetenheuve sah die Bäume rot mit rotem Laub, er sah die Erde, den Himmel rot, und der Gott der Philosophen betrachtete sein Werk und sah, daß es nicht gut war. Da rief er die Physiker auf den Plan, sie dachten in Wellen und Korpuskeln, es gelang ihnen, das Atom zu spalten, und sie töteten in Hiroshima.

Kinder begegneten seinem Auto. Französische Kinder, deutsche Kinder, amerikanische Kinder. Die Kinder gingen oder spielten nach den Nationen geschieden. Die Gruppen sprachen kein Wort miteinander. Keetenheuve fuhr durch das amerikanische Dorf. Es war ein amerikanisches Dorf am Rhein. Eine kleine amerikanische Kirche war so gebaut, wie sie amerikanische Siedler der Pionierzeit am Rande der Prärie bauten, nachdem sie die Indianer getötet oder vertrieben hatten. In der Kirche wurde zu einem Gott gebetet, der die Erfolgreichen liebte. Der amerikanische Gott hätte Keetenheuve nicht geliebt. Er war nicht erfolgreich und hatte nie eine Prärie erobert.

Sie kamen nach Mehlem, erreichten das Haus des amerikanischen Hohen Kommissars, und Keetenheuve stieg aus dem Wagen. Das amerikanische Kommissariat war ein Pfahlbau im Wald, eine nüchterne Konstruktion aus Beton, Stahl und Glas und doch, wie es da stand, ein romantisches Schloß aus dem deutschen Märchen, ein Wolkenkratzer, vom Broadway hierherverschlagen und auf Betonklötze gesetzt, als fürchte er, der Rhein werde aus seinem Bett steigen, ihn zu verschlingen, und die vielen Automobile, die unter dem Haus zwischen den Betonpfählen parkten, wirkten wie zu eiliger Abfahrt bereitgehaltene Rettungsboote. Obwohl es Tag war, brannten im ganzen großen Gebäude Tausende von Leuchtröhren, und sie erhöhten den unwirklichen, den magischen Eindruck, den der Pfahlbau im Wald machte. Das Kommissariat war wie der Palast eines mächtigen Zauberers, und es war auch wie ein ungeheurer Bienenkorb, in dem die neonerleuchteten Fenster wie aneinandergeschichtete Waben wirkten. Keetenheuve hörte das Haus summen. Die Bienen waren emsig. Keetenheuve ging mutig in das Zauberreich, stürzte sich tapfer in den magischen Schein. Er zeigte einer Wache einen Ausweis, und die Wache ließ ihn passieren. Aufzüge stiegen und fielen durch das Gebäude wie der Blutkreislauf eines Lebewesens. Herren und Damen ließen sich geschäftig mit kleinen Akten in der Hand hinauf- und herunterpumpen, Bakterien, die diesem Körper zu eigen waren, ihn am Leben erhielten, ihn kräftigen und schwächten. Vielleicht hätte ein Mikroskop verraten, ob sie aufbauende oder abbauende Teile waren. Auch Keetenheuve stieg in einen der Aufzüge und fuhr himmelwärts. Er stieg in einem Mittelgeschoß aus dem Fahrstuhl und ging einen langen neonerleuchteten Gang entlang. Der Gang war geisterhaft, unwirklich und angenehm, und die gekühlte Luft aus einer Klimaanlage berieselte ihn freundlich. Er klopfte an eine Tür und trat in ein neonzwielichtiges

Zimmer. Das Zimmer war wie ein künstlich erhelltes Aquarium bei Sonnenschein, und Keetenheuve entsann sich, daß er selber gern in einem ähnlich zwielichtig erleuchteten Aquarium arbeitete. Was waren sie doch für gezüchtete, in Aquarien und Treibhäuser gesetzte Wesen! Hier traf er zwei deutsche Sekretärinnen. Er fragte nach einem Amerikaner, und eine Sekretärin sagte, daß der Amerikaner irgendwo im Haus sei, aber sie wisse nicht, wo er sei. Es habe auch keinen Zweck, den Amerikaner zu suchen, sagte die andere Sekretärin; man würde den Amerikaner nicht finden, und dann sei die Sache, für die Keetenheuve sich einsetze, auch noch nicht entschieden, sie werde gerade von anderen Amerikanern, höheren als dem Chef dieses kleinen Aquariums, geprüft. Keetenheuve bedankte sich für die Auskunft. Er trat wieder in das unzwielichtige, das reine Neonlicht des Ganges hinaus, und die Sinnlosigkeit seines Tuns war ihm klar. Ein trüber Fleck auf dieser schönen klaren Sinnlosigkeit waren irgendwo Menschen, die auf die Entscheidung des Falles warteten. Keetenheuve erreichte einen Fahrstuhl. Er fuhr weiter himmelwärts. Er kam in eine Dachkantine, von der man weit über den Rhein blicken konnte, und zugleich betrat er ein Kellercafé im verzweifelsten Paris. Die in den Gängen und den Fahrstühlen so geschäftigen Damen und Herren verweilten hier bei Kaffee, Zigaretten und Problemen – sie kratzten an der Existenz. Existierten sie? Sie schienen es zu meinen, weil sie Kaffee tranken, rauchten und sich gedanklich oder tatsächlich aneinander rieben. Sie dachten über ihre Existenz und ihre Existenz im Verhältnis zu allen anderen Existenzen nach, sie betrachteten die Existenz des Hauses, die Existenz des Hohen Kommissariats, die Existenz des Rheines, die Existenz dieses Deutschlands, die Existenz der anderen Rheinstaaten und die Existenz Europas, und in all diesen Existenzen bohrte der Wurm, war Zweifel, Unwirklichkeit und Ekel. *Und Thor drohte mit dem*

Riesenhammer! »Amerika ist das vielleicht letzte Experiment und zugleich die größte Chance der Menschheit, um ihre Sendung zu erfüllen«, Keetenheuve hatte das Wort in der Keyserling-Gesellschaft gehört, und er dachte darüber nach. Er wäre gern nach Amerika gereist. Er hätte gern das neue Rom gesehen. Wie war Amerika? Groß? Frei? Sicher war es anders, als man es sich am Rhein vorstellen konnte. Dies Haus war nicht Amerika. Es war ein vorgeschobenes Büro, ein Außenposten, vielleicht ein besonderes Experiment in einem besonderen Vakuum. »Amerika ist nicht, es wird«, das hatte der Redner gesagt. Keetenheuve war sehr für neues Werden; er hatte bisher nur Untergänge gesehen. Die Mädchen im Dachcafé hatten dünne Nylonstrümpfe an, die sich, von ihrem Fleisch durchatmet, wie eine zweite, geile Haut das Bein hochzogen und lockend unter dem Rock verschwanden. Die Männer trugen Knöchelsocken, und wenn sie die Beine übereinanderschlugen, sah man ihre behaarten Waden. Sie arbeiteten miteinander, die geschäftigen Herren und Damen, schliefen sie auch zusammen? Keetenheuve sah, während Thor donnerte, ein düsteres Bacchanal der Vermischung in diesem Saal, und geschäftig, wie mit den Akten in den Fahrkörben und Gängen, waren sie nun in einer allseitigen Geschlechtlichkeit, von der Keetenheuve ausgeschlossen blieb wie überhaupt von ihrer Betriebsamkeit, er neidete sie ihnen einen Augenblick lang, und doch wußte er, daß es nicht Liebe und Leidenschaft war, was sie bewegte, sondern nur die hoffnungslose Befriedigung eines immer wiederkehrenden Juckreizes. Er trank seinen Kaffee im Stehen, und er beobachtete die hübschen nettbestrumpften Mädchen, und er beobachtete die jungen Männer in kurzen Socken, die wie unzufriedene Engel aussahen, und dann erkannte er, daß ihre schönen Gesichter gezeichnet waren, gezeichnet von Leere, gezeichnet von bloßem Dasein. *Es war nicht genug*

IV

Keetenheuve hatte sich verspätet, der Diplomat hatte gespeist, der Träumer war herumgeirrt, und die Mitglieder des
Ausschusses guckten ihn nun vorwurfsvoll an. Die Frak-
tionskollegen Heineweg und Bierbohm blickten mit dem
Ausdruck der Strenge und der Mißbilligung auf den Eintre-
tenden. Ihre Mienen sagten, daß Keetenheuve in diesem
Gremium, in dem er noch keine Stunde versäumt hatte, in
diesem Beratungszimmer, in dem er fleißig und produktiv
gewesen war, ihre Partei nun in nicht wiedergutzumachen-
der Weise bloßgestellt und geschädigt habe.
Auch Korodin schaute Keetenheuve an, aber es war weniger
Vorwurf als Erwartung in seinem Blick. Aufs neue überlegte
Korodin, ob Keetenheuve sich vielleicht gewandelt, ob er
vielleicht in einer Kirche, Gott um Erleuchtung bittend, die
Zeit verloren habe und nun vor sie hintreten und bekennen
würde: Der Herr hat sich mir offenbart, ich bin ein anderer.
Korodin hätte ein Gespräch mit Gott als Begründung der
Verspätung anerkannt und Keetenheuve verziehen. Aber
Keetenheuve sprach von keiner Erleuchtung, er murmelte
nur eine unverständlich unverbindliche Entschuldigung und
setzte sich auf seinen Platz. Er setzte sich aber (nur sie merkten es nicht) beschämt auf seinen Platz, beschämt wie ein
schlechter Schüler, dem keine Entschuldigung für seine
Faulheit einfallen will. Er hatte sich heute treiben lassen.
Wie ein altes Boot, das seinen Halt verloren hat, war er auf
des Tages unsteten Strömungen dahingeglitten. Er dachte
nach. Er mußte auf sich achten. Was war sein Halt gewesen,
den er verloren hatte? Er hatte Elke verloren, die Gaulei-
terstochter, die Waise des Krieges, und er dachte an sie jetzt
nicht wie an eine Frau, er sah sie wie ein Kind, das ihm anvertraut war und das er nicht gehütet hatte. Das Kind oder
die Bande der zärtlichen Empfindung waren sein Halt gewe-

sen, ein fester Punkt in der zerfließenden Flut, der Anker seines Bootes auf der, wie sich nun zeigte, öde gewordenen See des Lebens, und der Anker war hinabgesunken, er hatte sich vom Boot getrennt, die Kette war gerissen, der Anker blieb für immer unten, blieb in der grausigen, der unbekannten, der entsetzlichen dunklen Tiefe. Armer kleiner Anker! Er hatte ihn schlecht geputzt. Er hatte ihn rosten lassen. Was war aus Elke an seiner Seite geworden? Eine Trinkerin. Wohin war sie betrunken gefallen? In die Arme der Lesbierinnen, in die Arme der durch und durch Verdammten der Liebe. Er hatte Elke nicht gehütet. Er begriff es nicht. Er hatte Ausschüsse besucht, er hatte hunderttausend Briefe geschrieben, er hatte im Parlament gesprochen, er hatte Gesetze redigiert, er begriff es nicht, er hätte bei Elke bleiben können, an der Seite der Jugend, und vielleicht wäre es, wenn er nicht alles falsch gemacht hätte, die Seite des Lebens gewesen. Ein Mensch genügte, dem Leben Sinn zu geben. Die Arbeit genügte nicht. Die Politik genügte nicht. Sie schützten ihn nicht vor der ungeheuren Öde des Daseins. Die Öde war sanft. Die Öde tat ihm nichts. Sie griff nicht nach dem Abgeordneten mit langen Gespensterarmen. Sie würgte ihn nicht. Sie war nur da. Sie blieb nur. Die Öde hatte sich ihm gezeigt, sie hatte sich mit ihm bekannt gemacht, und nun waren ihm die Augen geöffnet, nun sah er sie, überall, und nie wieder würde die Öde verschwinden, nie wieder würde sie seinen Augen unsichtbar werden. Wer war sie? Wie sah sie aus? Sie war das Nichts, und sie hatte kein Aussehen. Sie sah wie alle Dinge aus. Sie sah wie der Ausschuß aus, wie das Parlament, wie die Stadt, wie der Rhein, wie das Land, alles war die Öde, war das Nichts in einer schrecklichen Unendlichkeit, die unzerstörbar war, denn selbst der Untergang berührte das Nichts nicht. Das Nichts war die wirkliche Ewigkeit. Und Keetenheuve empfand zugleich sehr deutlich sein Sein, er war da, er war etwas, er wußte es, er war vom Nichts umlagert und durchdrungen, und doch war er ein Teil für sich, ein Ich, allein und einsam gegen die Öde gestellt, und hierin war ein wenig Hoffnung, eine winzige Chance für David gegen Goliath – aber David war nicht traurig. Keetenheuve war von Traurigkeit erfüllt. Korodin hätte ihm sagen können, daß die Traurigkeit eine Todsünde sei. Aber was hätte es Keetenheuve geholfen, das zu wissen? Und überdies wußte er es ja. Er war nicht dümmer als Korodin.

Keetenheuve verstand die Ausschußsprache nicht mehr. Was redeten sie? Chinesisch? Sie sprachen das Ausschußdeutsch. Er beherrschte es doch! Er mußte es wieder verstehen. Er schwitzte. Er schwitzte vor Anstrengung, die Beratung zu verstehen; aber die anderen schwitzten auch. Sie wischten den Schweiß mit Taschentüchern auf; sie wischten sich über das Gesicht, sie wischten über die blanken Glatzen, sie wischten den Nacken, steckten das Taschentuch hinter den aufgeweichten Hemdkragen. Es roch im Zimmer nach Schweiß und nach Lavendel, und Keetenheuve roch wie sie: immer verweste etwas, und immer wieder versuchte man, mit Duftwasser den Geruch der Verwesung zu verstecken.

Jetzt sah er die Mitglieder des Ausschusses wie Spieler an einer Roulettetafel sitzen. Ach, wie vergebens ihr Hoffen, die Kugel sprang, das Glück enteilte! Heineweg und Bierbohm sahen wie kleine Spieler aus, die mit geringem Einsatz, ein jeder nach seinem System, vom Glück das Tagegeld erpressen wollten. Dabei ging das Spiel um Menschen, um große Summen und um die Zukunft. Es war ein wichtiger Ausschuß, er hatte wichtige Fragen zu beraten, er sollte den Menschen Häuser bauen. Aber wie kompliziert war das schon! Durch gefährliche Strudel mußte jeder Vorschlag gelenkt werden, brachte man ihn gar als Antrag zu Papier, leicht scheiterte das Papierschifflein, strandete an einem der tausend Riffe, wurde leck und sank. Ministerien und andere

Ausschüsse mischten sich ein, Fragen des Lastenausgleichs, des Kapitalmarkts, des Steuerrechts wurden berührt, die Zinspolitik war zu bedenken, die Eingliederung der Vertriebenen, die Entschädigung der Ausgebombten, das Recht der Besitzenden, die Versorgung der Verstümmelten, man konnte am Ländergesetz und am Städterecht anecken, und wie sollte man den Armen etwas geben, wenn niemand etwas hergeben wollte, wie durfte man enteignen, wenn das Grundgesetz das Eigentum bejahte, und wenn man sich dennoch entschloß, in bestimmten Fällen behutsam zu enteignen; so war wieder neuem Unrecht die Möglichkeit gegeben zu sein; geriet ein Ungeschickter in den Verhau der Paragraphen, war vielem Mißbrauch das Tor geöffnet. Keetenheuve vernahm Zahlen. Sie waren wie das Rauschen einer Wasserleitung vor seinem Ohr, eindrucksvoll und doch nichtssagend. Sechshundertfünfzig Millionen aus öffentlichen Mitteln. So viel aus zentralem Aufkommen. Sondermittel für Versuche; das waren nur fünfzehn Millionen. Aber dann gab es noch den Einlauf aus den Umstellungsgrundschulden. Korodin las die Zahlen vor, und zuweilen guckte er Keetenheuve an, als erwarte er von ihm einen Einspruch oder eine Zustimmung. Keetenheuve schwieg. Er konnte sich auf einmal zu Korodins Zahlen sowenig äußern wie der Zuschauer einer Zaubervorstellung zu den rätselvollen und eigentlich langweiligen Vorgängen auf der Bühne; er weiß, daß ein Trick angewandt und er getäuscht wird. Keetenheuve war von der Nation in diesen Ausschuß gesetzt, um aufzupassen, daß niemand hintergangen werde. Dennoch – für ihn war die Beratung jetzt nur noch ein verblüffender Zahlenzauber! Niemand würde die Millionen sehen, von denen Korodin sprach. Niemand hatte sie jemals gesehen. Selbst Korodin, der den Zahlenspuk vorführte, hatte die Millionen nicht gesehen. Sie standen auf dem Papier, wurden auf dem Papier weitergereicht, und nur auf dem Papier wurden sie verteilt. Sie liefen durch unendlich viele Rechenmaschinen. Sie hetzten durch die Rechenmaschinen der Ministerien, der Rechnungshöfe, der Oberämter und der Nebenstellen, sie erschienen in den Kontorahmen der Banken, tauchten in den Bilanzen auf, verminderten sich, zerrannen, aber sie blieben Papier, eine Ziffer auf Papier, bis sie sich endlich irgendwann materialisierten und vierzig Mark in einer Lohntüte wurden und fünfzig gestohlene Pfennige für ein Indianerbuch in einer Knabenhand. So recht begriff es keiner. Selbst Stierides, der Bankier der Reichsten, begriff das magische Spiel der Zahlen nicht; aber er war Meister in einem Yoga, das seine Konten wachsen ließ. Keetenheuve wollte sich zu Wort melden. Konnte man nicht etwas tun? Konnte man nicht die doppelte Größe durch die Rechenmaschinen laufen lassen, einen zweimal so großen Betrag als den vorgeschlagenen, und würden dann nicht auf einmal achtzig statt vierzig Mark in der Lohntüte liegen? Aber Keetenheuve wagte es nicht, so zu reden. Wieder blickte ihn Korodin erwartungsvoll, ja aufmunternd an, aber Keetenheuve wich seinem Blick aus. Er fürchtete sich vor seinen Fraktionsgenossen, er fürchtete Heineweg und Bierbohm, ihre Verwunderung und ihre Entrüstung. Keetenheuve sah Straßenbahnen über den Beratungstisch fahren, und die Straßenbahnen klingelten: Auch wir verdoppeln, wir verdoppeln unsern Tarif; und er sah die Bäcker demonstrieren: Doppelter Preis für das Brot; und er sah die Gemüsehändler die Preisschilder ändern für Kraut und Rüben. Die Verdopplung der Papierzahlen nützte nichts. Die Lohntüte blieb immer schwach gefüllt. Das war ein ökonomisches Gesetz oder das eine Gesicht der Relativität. Keetenheuve hätte so gern mehr in die Lohntüte hineingetan; aber auch er sah nicht, wie es zu machen sei, und ihn schwindelte. Den ganzen Tag schon hatte er unter Schwindelanfällen gelitten.

Sie sprachen von Bergarbeiterwohnungen auf neuem Siedlungsland bei den Halden, und ein Sachverständiger hatte die Quadratmeter errechnet, die jedem Siedler zugebilligt werden sollten, und ein anderer Sachverständiger hatte sich ausgedacht, wie primitiv und wie billig man die Mauern ziehen könne. Korodin gehörten Anteile an den Gruben. Die Arbeiter förderten die Kohle zutage, und auf geheimnisvolle Weise verwandelte ihre Anstrengung Korodins Bankkonto. Die Arbeiter fuhren in den Schacht, und Korodin las seinen neuen Saldo. Die Arbeiter gingen müde heim. Sie gingen durch die Vorstadt, gingen vorbei an den Halden, die immer noch wuchsen wie die Gebirge in der Urzeit, schwarze Tafelberge, die das Gesicht der Landschaft veränderten und auf deren staubigen Kuppen schmutzige Kinder Mörder und Detektiv, Winnetou und Old Shatterhand spielten. So sah Keetenheuve den Bergmann das Siedlungshaus erreichen, das sie im Ausschuß berieten, das sie durchrechneten, das sie Gesetz werden ließen und für das sie die Mittel, die stolzen Ziffern auf dem Papier bewilligten. Der Bergmann betrat die von den Sachverständigen geforderten Mindestquadratmeter. Er teilte sie mit seiner Frau und seinen Kindern und mit Verwandten, die das Schicksal, Unglück und Arbeitslosigkeit plötzlich zu ihm getrieben hatten, und mit Schlafgängern, deren Geld er brauchte, um die Raten für die abscheulichen, die unpraktischen, die viel zu großen und zu großspurigen Möbel zu zahlen, für das Schlafzimmer »Erika«, das Wohnzimmer »Adolf«, diese Schreckenskammern und Hausfrauenträume in den Schaufenstern der Abzahlungsgeschäfte. Der Bergmann war zu Hause. Da summte es und sprach es, schrie, knarrte und quakte es aus Mündern und Lautsprechern, drang als Geschrei, Gekeif, Fluch, Klatsch und Gebuller, drang als Iphigenie auf Tauris und Totoansage durch des Sachverständigen Billigstmauern, und der Bergmann denkt zurück an die Grube, denkt sich

106

zurück in den tiefen Schacht, denkt: Vor Ort, wenn die Preßluftbohrer surren, wenn das Gestein knirscht und bricht, ist es in dem Geratter still. Und viele zogen willig in den Krieg, weil sie ihren Alltag haßten, weil sie das häßliche enge Leben nicht mehr ertragen konnten, weil der Krieg mit seinen Schrecken auch Flucht und Befreiung war, die Möglichkeit des Reisens, die Möglichkeit des Sich-Entziehens, die Möglichkeit, in Rothschilds Villa zu wohnen. Überdruß erfüllte sie, ein verschwiegener Überdruß, der manchmal als Totschlag in Erscheinung trat, als Freitod, als scheinbar unbegreifliches Familiendrama, und doch war es nur der Überdruß am Lärm der Siedlungen, der Unmut über so viel Nähe, der Ekel vor den Gerüchen des Essens und der Verdauung, vor den Ausdünstungen der vielgetragenen Kleider und der eingelaugten Wäsche im Zuber, dem Bergmann wurde übel vor dem Schweiß der Frau (er liebte sie), vor den Ausscheidungen der Kinder (er liebte sie), und wie ein Orkan umdröhnte ihn das unaufhörliche Gequatsch ihrer Lippen.

Heineweg und Bierbohm waren's zufrieden. Sie stimmten den Vorschlägen der Sachverständigen bei; sie bewilligten die Mindestkosten, die Mindestquadratmeter, die Mindestwohnung. Die Wohnung würde gebaut werden. Heineweg und Bierbohm waren für das Schrebergartenglück. Sie sahen kleine Giebelhäuser entstehen und hielten sie für gemütlich; sie sahen zufriedene Arbeiter klassenbewußt auf eigener Scholle säen, und durch das geöffnete Fenster drang aus dem Lautsprecher des Radios eine aufmunternde Rede Knurrewahns. *Unser die Zukunft, unser die Welt.* Und Korodin war's zufrieden. Er stimmte den Vorschlägen der Sachverständigen bei; er bewilligte die Mindestkosten, die Mindestquadratmeter, die Mindestwohnung. Die Wohnung würde gebaut werden. Auch Korodin war für das Schrebergartenglück der Arbeiter, auch ihn erfreuten romantische Giebelhäuser im Grünen; er sah aber die Türen und Fenster an

Fronleichnam mit Birken geschmückt, aus dem Lautsprecher drang die Predigt des Bischofs, und zufriedene Arbeiter knieten im Vorgarten, fromm auf eigener Scholle, vor dem Allerheiligsten, das in der Prozession vorübergetragen wurde. *Der Herr ist mein Hirte, mir wird nichts mangeln.* Sie waren für Beschwichtigung. Heineweg, Bierbohm und Korodin, sie waren feindliche Brüder. Sie wußten es nicht, daß sie Brüder im Geiste waren. Sie hielten sich für Feinde. Aber sie waren Brüder. Sie berauschten sich an der gleichen wässerigen Limonade.

Was wollte Keetenheuve? Jedes Dach war besser als keins. Er wußte es. Er kannte Barackenlager und Nissenhütten, er kannte Bunkerwohnungen, Trümmerunterkünfte, Notherbergen, er kannte auch die Slums in London und die Kellergelasse im Chinesenviertel des Rotterdamer Hafens, und er wußte, daß die Mindestwohnung, die der Ausschuß bauen wollte, ein Fortschritt gegen dieses Elend war. Aber er mochte die Beschwichtigung nicht. Er sah kein Schrebergartenglück. Er meinte die Situation zu durchschauen: sie barg Gift und Bazillen. Was waren denn diese Siedlungen anders als die nationalsozialistischen Siedlungen der Kinderreichen, als SA- und SS-Siedlungen, nur billiger, nur enger, nur schäbiger, nur dürftiger? Und wenn man die Blaupausen betrachtete, es war der Nazistil, in dem weitergebaut wurde, und wenn man die Namen der Baumeister las, es waren die Nazibaumeister, die weiterbauten, und Heineweg und Bierbohm hießen den braunen Stil gut und fanden die Architekten in Ordnung. Das Programm des nationalsozialistischen Bundes der Kinderreichen war Heinewegs und Bierbohms Programm, es war ihre Bevölkerungsbeschwichtigung, es war ihr sozialer Fortschritt. Was wollte also Keetenheuve? Wollte er die Revolution? Welch großes, welch schönes, welch in Staub gestürztes Wort! Keetenheuve wollte die Revolution nicht, weil er sie gar nicht mehr wollen konnte – es gab sie ja nicht mehr. Die Revolution war tot. Sie war verdorrt. Die Revolution war ein Kind der Romantik, eine Krise der Pubertät. Sie hatte ihre Zeit gehabt. Ihre Möglichkeiten waren nicht genützt worden. Jetzt war sie ein Leichnam, ein trockenes Blatt im Herbarium der Ideen, ein toter Begriff, ein antiquiertes Wort aus dem Brockhaus, ohne Existenz in der täglichen Sprache, und nur ein enthusiastischer Jüngling mochte noch für eine Weile von der Revolution schwärmen, und sie war dann auch nichts als ein Schwarm- und Traumbegriff, eine duftlose Blume – nun ja, die blaue Herbariumsblume der Romantik. Die Zeit des zärtlichen Glaubens an Freiheit, Gleichheit, Brüderlichkeit, sie war vergangen *der Morgen Amerikas Walt Whitmans Gesänge die Kraft und die Genialität und dann war es Onanie die schwächte und zufrieden legte sich der Epigone ins breite Ehebett der gesetzlichen Ordnung den Kalender mit den fruchtbaren und unfruchtbaren Tagen der Frau auf dem Nachttisch neben dem Gummischutz und der Enzyklika aus Rom.* Korodin hatte über die Revolution gesiegt, und er ahnte, daß er etwas verloren hatte. Heineweg und Bierbohm hatten über die Religion gesiegt, und sie ahnten, daß sie etwas preisgegeben hatten. Gemeinsam hatten sie die Religion und die Revolution entmannt. Der Teufel hatte jede soziale Gemeinschaft geholt und hielt sie fest in seinen Krallen. Es gab wohl noch Putsche, man teilte sie in heiße und kalte wie Punsch, aber der Trank wurde aus immer billigeren Surrogaten gebraut und machte den Völkern nur Kopfweh. Keetenheuve war nicht für Beschwichtigung. Er war dafür, der Gorgo ins Gesicht zu sehen. Er wollte den Blick vor dem Grauen nicht senken. Aber er wollte behaglich wohnen und dem Teufel etwas ablisten. Er war für das Glück in der Verzweiflung. Er war für Glück aus Komfort und Einsamkeit, er war für ein jedermann zugängliches einsames komfortables und verzweifeltes Glück in der nun einmal geschaffenen technischen Welt. Es war nicht nötig, daß man, wenn man traurig war, auch noch fror; es war nicht nötig, daß man, wenn man unglücklich war, auch noch hungerte; es war nicht nötig, daß man durch Schmutz wandelte, während man an das Nichts dachte. Und so wollte Keetenheuve den Arbeitern neue Häuser bauen, Corbusier-Hausungs-Maschinen, Wohnburgen der technischen Zeit, eine ganze Stadt in einem einzigen Riesenhaus mit künstlichen Höhengärten, künstlichem Klima, er sah die Möglichkeit, den Menschen vor Hitze und Kälte zu schützen, ihn von Staub und Schmutz zu befreien, von der Hausarbeit, vom Hauszank und allem Wohnungslärm. Keetenheuve wollte zehntausend unter ein Dach bringen, um sie voneinander zu isolieren, so wie die großen Städte den Menschen aus der Nachbarschaft heben, ihn allein sein lassen, ein einsames Raubtier, ein einsamer Jäger, ein einsames Opfer, so sollte jeder Raum in Keetenheuves Riesenbau gegen jeden anderen schallabgedichtet sein, und jeder sollte sich in seiner Kammer das ihm gemäße Klima einstellen, er konnte allein sein mit seinen Büchern, allein mit seinem Denken, allein mit seiner Arbeit, allein mit seinem Nichtstun, allein mit seiner Liebe, allein mit seiner Verzweiflung und allein in seiner menschlichen Ausdünstung.

Keetenheuve wollte aufstehen. Er wollte zu ihnen sprechen. Er wollte sie überzeugen, und vielleicht wollte er sie nur reizen, denn er glaubte nicht mehr, daß er sie überzeugen konnte. Er wünschte, daß neue Architekten, junge begeisterte Baumeister, neue Pläne zeichneten, eine mächtige Wohnstadt, welche die häßliche Landschaft der Halden, der Auswürfe der Gruben, des Kotes der Industrie, der Schrottplätze, der Abfallager in ein einziges strahlendes lichtfunkelndes Riesenhaus verwandeln sollte, das alle Kleinleutlichkeit der Stadtrandsiedlungen, ihre Enge, ihre Dürftigkeit, ihren lächerlichen Besitzwahn, der gehätschelt wurde zur Beschwichtigung des sozialen Neides, die Versklavung der Frau an die Hausarbeit, die Versklavung des Mannes an die Familie, aufnehmen und aufheben mußte. Er wollte ihnen von seinem Turm berichten und von den tausend ingeniös und komfortabel ausgestatteten Wohnungen der bewußten Einsamkeit, der stolz getragenen Verzweiflung. Keetenheuve wollte das profane Kloster bauen, die Eremitenzellen für den Massenmenschen. Er sah die Menschen, und er sah, daß sie sich an Illusionen festklammerten, an die sie schon lange nicht mehr glaubten. Eine dieser Illusionen war das Familienglück. Und dabei grauste es selbst Korodin heimzufahren (von Heineweg und Bierbohm zu schweigen, die Dreizimmerwohnungen hatten, von Hausrat und Menschen vollgestopft), heim in sein großes ererbtes Haus, heim zu den Gesellschaften, den schwachsinnigen und ermüdenden Orgien der Falschheit, die seine Frau, von einem Kobold genarrt, arrangierte und die ihn langweilten, heim zu der Selbstsucht seiner halberwachsenen Kinder, die ihn quälten und entsetzten, die behütet und doch wie Wildlinge aufwuchsen und die mit ihren kalten mitleidlosen Gesichtern ihm entgegentrotzten, ein Antlitz, hinter dem sich Abscheu, Gier und Schmutz verbargen, und wie enttäuschten ihn selbst seine berühmten Bilder, die hochversicherten Holländer, ihre Landschaften mit tumben Stieren auf fetten Weiden, ihre geputzten blinkenden Interieurs, die Winterszenen mit Eislauf, Nebel und überfrorenen Wasserrädern, auch ihn ließen sie frieren, und so trieb er sich lieber in der Politik herum (aus einem guten Glauben, etwas tun zu müssen, denn seine Arbeit hatte man ihm genommen, in den Werken und Fabriken herrschten die Manager, die wußten, wie man die Belegschaft behandelt und wie man Rohlinge walzt, Korodin wußte es nicht) oder saß beunruhigt in Kirchen, besuchte den Bischof, gab sich mit Leuten wie Keetenheuve ab und ging abends gern über Friedhöfe. Sie würden Keeten-

111

heuve nicht verstehen. Sie würden seinen Turm für einen Turm zu Babel halten. Er schwieg. Korodin schaute ihn noch einmal auffordernd und über sein Schweigen enttäuscht an, und Heineweg und Bierbohm schauten ihn wieder an, auch sie enttäuscht und vorwurfsvoll, und sie dachten, was aus ihm geworden war, ein Wrack, ein schwer herzkranker Mann, wie schrecklich hatte er sich verändert, es war, als ob die Arbeit im parlamentarischen Kreis seine Kraft erschöpft habe, und sie erinnerten sich des früheren Keetenheuve, der, wie sie, mit ernstem Eifer das Notwendige getan hatte, der mitgeholfen hatte, die Opfer des grausamen Krieges zu nähren, sie zu kleiden, sie wieder in Häuser zu bringen, ihnen neue Hoffnung zu geben – was half's, und so beschlossen sie, alles Zahlenwerk neuerlich zu prüfen, alle Pläne noch einmal den Sachverständigen vorzulegen, und Heineweg sagte abschließend mit einem milden Blick auf Keetenheuve: »Ich glaube, wir sind heute wieder ein gutes Stück vorangekommen.«

Keetenheuve ging durch die Gänge des Parlaments, er ging über Treppen in sein Büro, und hin und wieder begegneten ihm Aktenträger, die wie Gespenster aussahen. Die Stenotypistinnen hatten das Haus schon verlassen. Nur ein paar Streber schlichen durch das Gebäude. Keetenheuve dachte: das Labyrinth ist leer, der Stier des Minos wandelt verehrt unter dem Volk, und ewig irrt Theseus durch die Gänge. Sein Schreibtisch war, wie er ihn verlassen hatte. Das Blatt des Nachrichtendienstes, das Dana ihm gegeben hatte, lag offen über den Briefen des Abgeordneten, offen über des Abgeordneten Kritzeleien zum »Beau navire« von Baudelaire. Guatemala oder nicht – das war die Frage. Die Interviews der Generale aus dem Conseil Supérieur des Forces Armées standen zwischen ihm und Guatemala. Wenn Keetenheuve Danas Anregung folgte und die Interviews morgen im Plenum erwähnte, dann konnte er sich nicht mehr zurückziehen, und sie würden ihn hier abschießen und ihm nicht mehr das Gnadenbrot Guatemala gewähren. Es war ein schlauer Mann, der diesen Speck ihm hinhielt. Eigentlich war's ein schäbiger Bissen! Guatemala – wer sagte sich dort gute Nacht? Füchse? – Die grüßten sich am Rhein. Guatemala war Frieden, Guatemala war Vergessen, Guatemala war Tod. Und das wußte, wer's ihm anbot, genau, der wußte, daß er gerade darauf anbeißen würde, auf Frieden, auf Vergessen, auf den Tod. Sonst hätten sie ihm den Haag freigehalten, Brüssel, Kopenhagen, vielleicht Athen, so viel war er noch wert; aber Guatemala, das war die Terrasse in der brütenden Sonne, das war der Platz mit verstaubten Palmen, das war die langsame und sichere Verwesung. Sie kannten ihn! Knurrewahn, zur Regierung gekommen, hätte ihm Paris offeriert, um ihn loszuwerden. Knurrewahn kannte ihn nicht. Paris war die Verpflichtung, herumzustümpern und mitzuspielen; Guatemala war die Auflösung, eine zynische Hingabe an den Tod. Es war, als ob man vorm Herrn Tod die Hosen herunterließ; und dieser Vergleich hätte Frost-Forestier gefallen.

Über dem Rhein war ein Regenbogen erschienen. Er spannte sich von Godesberg, von Mehlem, vom Haus der Amerikaner hinüber nach Beuel, wo er neben der Brücke hinter einer Mauer verschwand, auf der das Wort *Rheinlust* geschrieben stand. Der Regenbogen hing wie Aufstieg und Abstieg einer Himmelsleiter über dem Strom, und es war leicht, sich vorzustellen, daß Engel über das Wasser gingen und Gott nahe war. Bedeutete der Regenbogen Versöhnung, bedeutete er Frieden, brachte er Freundlichkeit? Der Präsident in seinem Palais mußte nun auch den Regenbogen sehen, den freundlichen Friedensbogen von Godesberg nach Beuel, vielleicht stand der Präsident auf blumenbewachsener Terrasse und blickte über den Fluß, schaute in die Abendluft, die still wie ein altes Bild in dieser Stunde war,

113

und vielleicht war der Präsident traurig und wußte nicht warum, und vielleicht war der Präsident enttäuscht und wußte wieder nicht warum. Und Keetenheuve, der am Fenster stand, am Fenster seines Büros im Parlamentsgebäude, dachte sich einen Mann aus, der Musäus hieß und Butler beim Präsidenten war. Wahrscheinlich hatte der Präsident gar keinen Butler, aber Keetenheuve gab ihm nun einen, Musäus mit Namen, und Musäus sah dem Präsidenten ähnlich. Er war so alt wie der Präsident, er sah so aus wie der Präsident, und er hielt sich für den Präsidenten. Seine Beschäftigungen ließen ihm Zeit dazu. Musäus hatte das Handwerk eines Friseurs gelernt und war »zu Hof gegangen«, davon sprach er manchmal, das vergaß er nicht, er war in jungen Jahren im Frack »zu Hof gegangen«, den jungen Fürsten zu rasieren, mit dem er, während er ihn einseifte, freimütig über die Not des Volkes gesprochen hatte, und als der Fürst neunzehnhundertachtzehn abdankte, wollte Musäus keinen mehr rasieren und wurde Diener in einer Staatskanzlei, dann wurde er Diener bei Hindenburg, und dann bewies er Charakter und diente dem Braunauer nicht. Er schlug sich mühsam durch Diktatur und Krieg, bis der neue Staat sich seiner entsann und ihn zum Butler beim Präsidenten ernannte. Nun gut, nun schön; er war verwirrt, der gute Musäus. Er las zuviel Goethe, den er sich in den prächtigen Bänden der Sophien-Ausgabe aus der Bibliothek des Präsidenten lieh, und am Abend, wenn der Regenbogen die Ufer des Rheins verband, stand auch Musäus an rosenumrankter Brüstung, hielt sich für den Präsidenten, schaute weit ins Land und freute sich, daß in der ringsum blühenden Pädagogischen Akademie, die ihm zu Füßen lag, alles zu best stand, gedieh und lebte. Aber irgendwo in seinem Herzen nistete ein Unbehagen, war es ihm, als habe er etwas vergessen, was er besessen hatte, als er noch »zu Hof gegangen« war, die Stimme des Volkes, das Raunen des Volkes, das unbedeutende eintönige Gemurmel, das er mit dem Seifenschaum dem jungen Fürsten um den Bart geschmiert hatte, das vernahm er nicht mehr, und es störte ihn, daß es nicht mehr da war. Musäus wollte gut sein, ein guter Landesvater, vielleicht hatte er schon damals den Fürsten zu einem guten Landesvater erziehen wollen, aber der Fürst hatte nicht lange regiert, und nun herrschte Musäus und hatte die Erziehungsregeln für Fürsten leider vergessen. So konnte Musäus nicht richtig regieren, man zog ihn in Kuhhändel hinein, so dachte Musäus verärgert, und der führende Staatsmann, so dachte Musäus am Abend, der fütterte Musäus zu gut, so daß er fett und taub und träge wurde und schließlich gar nichts mehr hörte vom Volksgeraune oder gar falsche Stimmen hörte, ein nachgeahmtes Volksgemurmel, wie in einer Schallplattenfabrik aufgenommen, wer wußte es, Musäus konnte es nicht mehr unterscheiden, früher hätte er es gekonnt, und dann nahm er sich vor, Diät zu halten, wenig zu essen, wenig zu trinken, er hungerte drei Tage, der gute Musäus, er durstete drei Tage, der gute Musäus, aber dann – der Posten war zu gut, und Küche und Keller waren zu wohl bestellt, Musäus aß ein Ripple, trank ein Fläschchen und nährte und beschwichtigte so sein seelisches Unbehagen. Keetenheuve verzichtete auf Guatemala. Er verzichtete auf die spanisch koloniale Sterbeveranda. Auch am Rhein gab es Terrassen. Er war entschlossen, sich nicht abschieben zu lassen. Er würde bleiben. Er würde an seinem Schreibtisch bleiben, er würde im Parlament bleiben; er würde nicht auf die Barrikade, aber auf die Tribüne steigen. Er würde mit heiligem Zorn gegen die Politik der Regierung sprechen. Ihm sollte jedes Mittel recht sein. Sein Ziel war Friede. Sein Ziel war Freundlichkeit unter den Menschen. War's nicht ein lockendes Ziel? Vielleicht würde er's erreichen. Er gab es auf, seine Rede auszuarbeiten. Er wollte frei sprechen, mit Eifer und aus dem Herzen. Keetenheuve *Gesandter a. D.*

Redner Volkstribun verließ als einer der letzten an diesem Tag das Bundeshaus. Ein Wächter schloß ihm den Ausgang auf. Keetenheuve ging für eine Weile beflügelten Schrittes in den Abend. Was ließ er zurück? Die unvollendete Übersetzung eines Gedichtes, einen Tisch voll unbeantworteter Briefe, eine nicht ausgearbeitete Rede, *und mit ihm ging die neue Zeit*

Aber bald merkte er, daß er schwitzte. Der Abend blieb schwül, obwohl der Regenbogen prangte. Aus einer Senkgrube drang Gestank. Aus den Gärten Rosenduft. Ein Rasenmäher ratterte über den Grasteppich. Gepflegte Hunde wandelten durch die Allee. Der große diplomatische Verhinderer von Schlimmerem machte, den kleinen Knirpsdamenschirm kokett in der Hand, seinen Abendweg und dachte über ein neues Kapitel seiner lukrativen Memoiren nach, wie auch andere Statisten der politischen Bühne und Gassenhauersänger der Wahrheit gemächlich von Besitz zu Besitzung schritten. Keetenheuve begrüßte den Verhinderer, den er nicht kannte, und der große Memoirist dankte geschmeichelt. »Durchschaut! Durchschaut!« Keetenheuve hätte es ihm gern zugerufen und ihm auf die Schulter geklopft. Bismarck kannte die Brüder: »Die Eitelkeit ist eine Hypothek, die auf jedem Politiker lastet.« Sie waren eitel, sie waren alle eitel, Minister, Beamte, Diplomaten, Abgeordnete und selbst der Portier, der die Tür im Amt öffnete, war eitel, weil er im Amt die Tür öffnete, weil er zur Regierung gehörte und hin und wieder in der Zeitung erwähnt wurde, weil ein Journalist beweisen wollte, daß er auch wirklich im Ministerium gewesen sei und den Portier gesehen habe. Sie alle hielten sich für Persönlichkeiten der Geschichte, für öffentliche Größen, nur weil sie ein Amt hatten, weil ihre Gesichter durch die Presse liefen, denn die Presse will ihr Futter haben, weil ihre Namen durch den Äther sprangen, denn auch die Funkstationen brauchten ihr tägliches Heu, und dann sahen die Gattinnen die großen Gatten und kleinen Begatter entzückt von der Kinoleinwand winken und mit dem Grinsen der Anbiederung dastehen, das sie den Amerikanern abgeguckt hatten, die wie Mannequins vor den Photographen posieren. Und wenn die Welt auch nicht viel von den beamteten Weltgeschichtlern hielt, so raschelte sie doch ständig mit ihnen, um zu beweisen, daß der Vorrat an Nichtigkeiten und Schrecken nicht erschöpft, daß Geschichte noch immer da sei. Wer wollte denn, daß Geschichte sei? Und wenn sie schon unvermeidlich war, ein unvermeidliches Übel, warum dann das Gackern beim Legen von Windeiern? Der Minister fährt nach Paris. Nun schön. Was tut er da? Er wird von einem anderen Minister empfangen. Na, wunderbar. Die Minister frühstücken zusammen. Herrlich. Hoffentlich war schönes Wetter. Die Minister ziehen sich zu einer Aussprache zurück. Bravo! Und nun? Sie trennen sich wieder. Na, und nachher? Der eine Minister bringt den andern zum Bahnhof oder zum Flugplatz. Ja, aber was ist nun? Nichts ist. Der Minister fliegt nach Hause, und der andere Minister wird ihn bald besuchen. Und die ganze Reise, der Bahnhof hin, der Flugplatz her, das Frühstück und das Händeschütteln auf Zeitungsseiten mit Balkenüberschriften, auf Kinoleinwänden und Fernsehschirmen und in den Lautsprechern in jeder Kammer – wozu geschehen? Man wußte es nicht. Fahrt doch mal leise nach Paris!! Amüsiert euch still. Es wäre viel wohltuender. Ein Jahr lang Schweigen um diese Leute! Ein Jahr soll ihrer nicht gedacht werden. Vergessen wollen wir ihre Gesichter, und an ihre Namen wollen wir uns nicht erinnern. Vielleicht werden sich Sagen bilden. Sie werden wesentlich sein. *Keetenheuve Held der Sage.* Er zerdachte die Welt, die ihn trug, denn wie wollte er Minister werden, wenn man nicht täglich mit allen Mitteln der Propaganda der Erde einredete, daß sie Minister brauche? *Keetenheuve Minister mit Bismarcks Hypothek der Ei-*

telkeit belastet – Er schwitzte sehr. Er war in Schweiß gebadet. Alles erregte ihn. Das Hemd klebte. Er fühlte sich wieder beengt und bedrückt. Er streckte die Hand in den Hemdschlitz, legte sie auf die Haut, fühlte die Nässe, fühlte heiße borstige Haare, *Keetenheuve kein Knabe, Keetenheuve ein männliches Tier, Mann mit Bockgeruch, Haare auf der Brust, verdeckt durch Kleider, verdeckt durch Zivilisation, domnestiziertes Tier, der Bock war nicht zu sehen* – darunter pochte das Herz, eine Pumpe, die es nicht mehr schaffte. Er hatte ihnen entgegentreten wollen: das Herz hatte freudig geschlagen. Er war ihnen begegnet (und sich selbst): das Herz ging unruhig, verzagt, japste, ein gehetztes Weidtier. Fürchtete er sie? Er fürchtete sich nicht. Aber er war wie ein Schwimmer, der gegen eine starke Strömung zum Ufer schwimmt und weiß, er wird es nicht schaffen, er wird abgetrieben, er kommt nicht voran, die Anstrengung ist sinnlos, und schöner wär's man ließe sich treiben, schaukelte ins Grab.

Er kam an Baustellen vorüber. Man werkte über den Feierabend. Die Regierung baute, die Ämter bauten, die Bauaufsichtsbehörde baute, der Bund und die Länder errichteten Repräsentationshäuser, fremde Gesandtschaften mauerten sich hoch, Kartelle, Industrieverbände, Bankvereine, Ölgesellschaften, Stahlgewerke, Kohlenkontore, Elektrizitätswerke stellten hier ihre Verwaltungsgebäude hin, als brauchten sie in der Regierungssonne keine Steuern zu zahlen, Versicherungsgesellschaften stockten auf und bauten vor, und Versicherungsgesellschaften, bei denen sich Versicherer für den Versicherungsfall versicherten, konnten nicht Räume genug finden, ihre Policen zu verwahren, ihre Anwälte unterzubringen, ihre Lebenserwartungsstatistiker zu beherbergen, ihre Gewinne zu verputzen, ihren Reichtum zu zeigen. Alle wollten sie so schnell wie nur möglich in Regierungsnähe unter Dach kommen; es war, als fürchteten sie, die Regierung könne ihnen davonlaufen, würde eines Tages nicht mehr da sein, und in ihren schönen neuen Häusern sollte das Grauen wohnen. Lebte Keetenheuve in einer neuen Gründerzeit? Es war eine untergründige, eine hintergründige, eine begründet grundlose Zeit *auf flüchtigem Sande habt ihr gebaut. Keetenheuve Verdisänger in Bonn, vorn an der Rampe meisterte er den Belcanto auf flüchtigem Sande ach wie so trügerisch habt ihr gebaut. Kleiner Abgeordneter arm zwischen Sicherheitspalästen. Der Wurm im Holz. Der Nagel zu ihrem Sarg. Kranker Wurm. Krümmte sich. Verrosteter Nagel. Nun gut, die Versicherungen würden ihn überleben. Er war nicht versichert. Starb so. Eine lästige Leiche. Kein Denkmal für Keetenheuve. Befreite die Menschheit von nichts. Tastete sich durch Baugruben. Fallen. Blind. Ein Maulwurf.*

Er kam zu dem Spielplatz, und wieder saßen, wie am Morgen, zwei Mädchen auf der Wippe. Es waren Dreizehnjährige. Als Keetenheuve sie beschaute, ließen sie ihr Auf- und Niederwippen, die eine hockte unten, die andere hing oben auf dem Schwebebalken. Sie kicherten. Sie tuschelten sich etwas zu. Die eine zupfte am Röckchen, zog den Stoff über den Schenkel. Verdorben. Verdorben. Und du? Lockte dich nicht die Jugend, die glatte, die sanftkühle Haut? Ein Haar, das noch nicht nach Tod roch? Ein Mund, der noch nicht die Verwesung atmete? Es duftete nach Vanille. Im Ruinenhaus schmorte jemand Mandeln und Zucker in einem Kupferkessel. *Eßt die gebrannten Riesenmandeln* rief ein regendurchwaschenes Transparent. Keetenheuve kaufte für fünfzig Pfennig gebrannte Riesenmandeln und aß sie. Er dachte: es ist das letzte Mal, jetzt esse ich zum letztenmal gebrannte Mandeln. Sie schmeckten bitter. Die Zuckerkruste knackte zwischen den Zähnen. Auf der Zunge lag eine bröcklig klebrige Masse. Die gebrannten Riesenmandeln schmeckten nach Pubertät, nach Knabenlüsternheit in dunklen Tageskinos: auf der Leinwand schwellen schmutzig fleckig weiß die Brüste der Lya de Mara, man lutscht Konfekt, und im Blut regt sich ein neues Weh. Keetenheuve stand kauend vor einem Schaufenster mit Studentenutensilien. Auch der Besitzer dieses Schaufensters lebte von Pubertätsgefühlen. Es war alles wieder da, die Zeit lief zurück, die Kriege waren nie gewesen. Keetenheuve sah weiße Stürmer, bunte Mützen, Korpsbänder, Kneipjacken, er betrachtete Fechtausrüstungen, Schläger, Bierhumpen mit der Verbindungsschutzmarke auf dem Deckel, Kommersbücher mit goldenen Nägeln im Einband und mit geschmiedeten Verschlüssen. Das wurde hergestellt, das war zu verkaufen, das brachte die Miete für das Schaufenster und den Laden ein und nährte den Geschäftsmann. Wirklich, die Gründerjahre waren wiedergekehrt, ihr Geschmack, ihre Komplexe, ihre Tabus. Die Söhne der bauwütigen Direktoren fuhren am Steuer ihres Wagens zur Universität, aber am Abend setzten sie sich Narrenmützen auf, ahmten ihre Großväter nach und taten, was sehr komisch sein mußte, sie rieben einen Salamander; Keetenheuve verband dies mit der unsympathischen Vorstellung von jungen Männern, die, von Bier, Dummheit und unklaren, manchmal nationalen Gefühlen bewegt, singend häßliche Krötentiere zwischen Kneiptisch und Humpen zerrieben. Keetenheuve warf den Rest der gebrannten Mandeln in die Gosse. Die spitze Tüte platzte, und die Zuckermandeln hüpften wie Marbeln über das Pflaster.

Keetenheuve Kind spielt mit Achatkugeln am Straßenrand. Bonner Versicherungsdirektor Kösener Verband CC stürmt mit weißer Mütze Korpsband und Schläger auf Keetenheuve los. Direktor ersticht Keetenheuve. Keetenheuve nimmt eine gebrannte Mandel, stopft sie dem Direktor in den Mund. Er zieht an des Direktors Jacke, und Groschen fallen aus dem Ärmel auf die Straße. Kleine Mädchen kommen und sammeln die Groschen auf: Sie rufen: mehr, mehr, mehr, und im-

mer mehr Groschen fallen, hüpfen, springen über die Straße. Keetenheuve lacht. Der Direktor ist böse und sagt: Ernst der Situation –
Keetenheuve ging über den Markt. Die Marktweiber wuschen ihre Stände. *Witz für Mergentheim: Ein Blinder geht über den Fischmarkt, sagt: »Girls«. Schlafzimmer bei Mergentheims. Sophie zieht sich für die Party an, CD in Godesberg, sie spannt ein durchsichtiges Mieder über den erschlafften Leib. Mergentheim ist nicht erregt. Er ist müde. Er sagt: »Keetenheuve war bei mir.« Das Mieder drückt Sophie. Sie möchte den Saum aufschneiden. Ihr ist heiß. Mergentheim sagt: »Ich sollte mich nicht länger mit ihm duzen.« Sophie denkt: Was quatscht er, das Mieder zwickt mich, Nylonseide, durchsichtig und straff, ich könnte den Saum aufreißen, ich zieh mich doch nicht aus. Mergentheim sagt: »Ich bin sein Feind. Ich sollte es ihm sagen. Ich sollte sagen: ›Herr Keetenheuve, ich bin Ihr Feind.‹« Sophie denkt: Wozu trage ich das durchsichtige Korsett? Wenn François-Poncet mich so sähe, man sieht doch alles, Falten, das träge Fett. Mergentheim sagt: »So ist es gemein.«* Keetenheuve ging durch den Abfall des Marktes, Fauliges, Stinkendes, Verwesendes, Ranziges, Verdorbenes lag unter seinen Füßen, er glitschte hinein, *in eine Orange, eine Banane, eine schöne Frucht unnütz gereift, sinnlos gepflückt, geboren in Afrika, gestorben auf dem Markt in Bonn, nicht einmal verspeist, reist nicht durch den gierigen Menschen, verwandelte sich nicht. Wurst, Fleisch, Käse, Fische und überall Fliegen. Schwere Brummer. Maden im Leib. Ihre Waffe. Wurst auf der Platte zerstört. Das essen wir. Das essen sie im Hotel Stern. Ich könnte hineingehen. Jobber in der Halle, Feldspaten für den Grenzschutz, Patent des Düsenwasserwerfers, künstliche Diamanten, sie warten noch immer auf den Anruf des Ministers. Der schickt seinen Wagen. Her mit den Diamanten, her mit dem Wasserwurfpatent, den Spaten her, netter zusammenklappbarer Westenta-*

schenspaten, unauffällig unter dem Anzug zu tragen, macht beliebt in jeder Gesellschaft, einmalige Leistung, sechshundert Kubikmeter deutsche Erde in der Stunde, Massengräber, Kamerad gräbt Kamerad ein. Wartet auf die Weisungen der Regierung. Hier ist England. Hier ist England. Sie hören die Stimme Amerikas. Diesmal würde Keetenheuve nicht sprechen. Er würde nicht im Äther kämpfen. *Keetenheuve unbekannter Soldat an unbekannter Front. Schuß nach vorn? Schuß nach hinten? Wer Nerven hat, schießt in die Luft. Vorsicht, die Geschwader! Ja, keinen Vogel abschießen! Keetenheuve guter Mensch, kein Jäger. Weiße Hände. Dichter.* Auf dem Balkon des Sternhotels stand ein Abgeordneter der Bayernpartei. Er sah ins Mangfalltal. Kühe zogen von den Weiden. Die Kuhglocken bimmelten. Das Jahr reifte. Die Pensionen waren mit Preußen belegt: Ave Maria. Die Bayernpartei konnte wie alle kleinen Parteien das Zünglein an der Waage sein. Sie wurde umworben. Wenn's ernst wurde, stimmte sie für die Regierung, aber mit föderalistischer Reservatio mentalis.

Die Menschen standen vor einer Kinokasse an. Was erwartete sie? Das große deutsche Lustspiel. Keetenheuve stellte sich in die Reihe. Ariadne führte ihn, Theseus, der sich ins Dunkel wagte, Ariadne sagte: »Nachrücken zur Mitte!« Ihre Stimme war hochnäsig piepsig. Sie war als Ordnerin über eine ungezogene Menschheit gesetzt, die nicht rechtzeitig zur Mitte rückte. Keetenheuve saß, und er saß in der seiner Zeit gemäßen Haltung, er war Objekt, es wurde über ihn verfügt. Jetzt war er ein Objekt der Werbung. Auf der Leinwand wurden ihm Rasierapparate, Führerscheine, Binden, Kleiderstoffe, Lippenstifte, Haarfärbemittel, eine Reise nach Athen angeboten. *Keetenheuve Käufer und Konsument, Normalverbraucher. Nützlich.* Keetenheuve kaufte sechs Hemden im Jahr. Fünfzig Millionen Bundesdeutsche kauften dreihundert Millionen Hemden. Von einem unge-

heuren Ballen rollte der Stoff in die Nähmaschinen. Stoff-
schlangen umwanden den Bürger. *Gefangen.* Schulstunde:
Einer raucht zehn Zigaretten am Tag, dann raucht er im Jahr
wieviel Zigaretten, also verrauchen fünfzig Millionen Rau-
cher sechsmal den Kölner Dom, wenn er aus Tabak wäre.
Keetenheuve rauchte nicht. *Entwischt!* Er freute sich. Es
kam die Wochenschau. Ein Minister übernahm eine Brücke.
Er zerschnitt ein Band. Er stelzte über die Brücke. Andere
Stelzer stelzten hinter dem Minister drein. Der Präsident
besuchte die Ausstellung. Ein Kind begrüßte ihn. *Unser
Führer liebt die Kinder.* Ein Minister reiste ab. Er wurde zum
Zug gebracht. Ein Minister kam an. Er wurde abgeholt. Miß
Loisach wurde gewählt. Bikini auf der Alm. Netter Hintern.
Großer Atombombenpilz über der Wüste von Nevada. Ski-
rennen auf künstlichem Schnee am Strand von Florida. Wieder Bikinis. Großer Auftrieb. Noch nettere Hintern. In Korea: Zwei ernst blickende Feinde treffen sich; sie gehen in
ein Zelt; sie trennen sich wieder; der eine klettert ernst in
einen Hubschrauber, der andere noch ernster in sein Auto.
Schüsse. Bomben auf irgendeine Stadt. Schüsse. Bomben in
ein Dschungel. Miß Makao wird gewählt. Bikini. Sehr netter
chinesisch-portugiesischer Hintern. Der Sport versöhnt die
Völker. Zwanzigtausend starren auf einen Ball. Es ist höchst
langweilig. Aber dann holt das Teleobjektiv der Filmkamera
einzelne Gesichter aus den Zwanzigtausend heraus: er-
schreckende Gesichter, verkrampfte Kinnladen, haßver-
zerrte Münder, Mordgier im Blick. *Wollt ihr den totalen
Krieg? ja ja ja* Keetenheuve beobachtete von seinem Sitz im
verdunkelten Zuschauerraum die von den tückischen Fern-
rohrobjektiven aus ihrer Geborgenheit in der Masse und
Anonymität grausam herausgerissenen und aller Fassung
entblößten Gesichter, die nun vom Licht (nach Newton ein
unwägbarer Stoff, der kalt und hochmütig über der gebun-
denen Materie schwebt) auf die Leinwand wie auf einen Se-

ziertisch geworfen wurden, und er fürchtete sich. War dies des Menschen Antlitz? War so erschreckend des Zeitgenossen Gesicht? Wohin war man verschlagen, und welchem Zufall verdankte er es *Keetenheuve Pharisäer,* daß nicht auch er verrührt war in diesem Brei der Zwanzigtausend (Minister saßen auf den Bänken und wurden vom Kameraauge erfaßt, Minister waren volksverbunden, sie waren es, oder sie taten so: hervorragende Mimiker) und mit verklemmten Kiefern den Ball verfolgte? Ihm klopfte das Herz hier nicht, sein Blut pulste nicht schneller, er empfand nicht die Wut: an die Kehle dem Schiedsrichter, schlagt den Hund, Schiebung, ein Elfmeter, kein Elfmeter, Pfiffe! Keetenheuve stand abseits. Er stand außerhalb des echten Spannungsfeldes dieser Versammlung der Zwanzigtausend. Sie waren vereint, sie akkumulierten, sie waren eine gefährliche Häufung von Nullen, eine explosive Mischung, zwanzigtausend erregte Herzen und zwanzigtausend hohle Köpfe. Natürlich warten sie auf ihren Führer, auf die Nummer Eins, auf den, der sich positiv mit ihnen konfrontiert und sie erst zur gewaltigen Ziffer macht, zum Volk, zum neuen Golem des Mischbegriffs ein Volk, ein Reich, ein Führer, ein totaler Haß, eine totale Explosion, ein totaler Untergang. Keetenheuve war der Masse negativ entgegengestellt. Er war allein. Das war die Position des Führers. *Keetenheuve Führer.* Aber Keetenheuve konnte die Menge nicht berücken. Er setzte die Masse nicht in Bewegung. Er entzündete sie nicht. Er konnte das Volk nicht einmal betrügen. Als Politiker war er ein Heiratsschwindler, der impotent wurde, wenn er mit Frau Germania ins Bett gehen sollte. Aber in seiner Vorstellung und auch oft tatsächlich und mit ehrlichem Bemühen vertrat gerade er immer das Recht des Volkes! Auf der Leinwand warb nun das Kino für das Kino; es wurden kurze Schnitte aus den konfektionierten Träumen des nächsten Programms gezeigt. Zwei alte Männer spielten Tennis. Es waren aber diese alten

Knaben die jugendlichen Liebhaber des nächsten Filmes, neckisch in kurze Höschen gekleidet, und sie konnten leicht Keetenheuves ältere Brüder sein, denn schon als er noch halbwüchsig war, hatte Keetenheuve die Herren im Flimmerspiel agieren sehen. Sie waren aber nicht nur Tennisspieler, sie waren auch Gutsbesitzer, denn es war ein Zeitfilm, der hier angekündigt wurde *erschütternd und aufwühlend,* und die Herren Gutsbesitzer hatten alles verloren, jeglichen Besitz dem Sturm der Welt geopfert, nur das Gut war ihnen geblieben, Gutsschloß und Feld und Wald und der Tennisplatz und die kurzen feschen Hosen und selbstverständlich ein paar edle Pferde, um wieder für Deutschland zu reiten. Eine Tonbandstimme sprach: »Zwischen den verschworenen Freunden steht eine bezaubernde Frau. Wer wird sie erringen?« Eine Matrone tollte im Backfischkleid an das Netz. Großmütterchens Zeitvertreib, und alles spielte sich in der besten Gesellschaft ab, in einer Welt, die es so fein gar nicht mehr gab. Und Keetenheuve zweifelte, ob es diese feine Welt je gegeben hatte. Was war das? Was wurde hier gespielt? Eine beliebte deutsche Volksschriftstellerin nannte einen ihrer vielen Romane *Highlife;* sie oder ihr Verleger setzten den englischen Titel auf das deutsche Buch, und Millionen, die gar nicht wußten, was das Wort *Highlife* bedeutete, verschlangen den Band. Highlife – vornehme Welt, ein Zauberspruch, was war das, wer gehörte dazu? Korodin? Nein. Korodin war nicht Highlife. Der Kanzler? Auch er nicht. Der Bankier des Kanzlers? Der hätte solche Leute 'rausgeschmissen. Wer war Highlife denn? Gespenster waren es, Schatten. Die Schauspieler auf der Leinwand waren es, sie, die Highlife spielen sollten, waren auch die einzigen Vertreter dieser vornehmen Welt, sie und ein paar Reklamefiguren der Illustrierten und der Werbung, der Mann mit dem gepflegten Schnurrbart, der Sekt einschenkt in unnachahmlicher Würde, der Mann, der jedermanns Straßenbahnzigarette im Polodreß raucht, und der blaue Dunst schlängelt sich um den schönen Hals des Pferdes. Nie wird ein Mensch so den Sekt einschenken, nie wird jemand so auf dem Pferd sitzen, und warum sollte man es auch tun – aber diese Gestalten waren echte Schattenkönige des Volkes. Ein zweiter Vorspann warb für einen Farbfilm. Die Tonbandstimme rief: »Amerika im Bürgerkrieg! Der heiße Süden, das Land der glühenden Seelen! Eine entzückende Frau zwischen zwei verschworenen Freunden!« Zwei verschworene Freunde und eine entzückende Frau – das schien diesseits und jenseits des Ozeans eine fixe dramatische Idee der Drehbuchverfasser zu sein. Die entzückende Frau saß diesmal auf einem ungesattelten Mustang und ritt in drei Farben, daß Keetenheuve die Augen weh taten. Die Freunde schlichen – auch sie in drei Farben – durch das Gehölz und schossen aufeinander. Die Tonbandstimme kommentierte: »Tollkühne Männer!« Keetenheuve hatte keinen Freund, auf den er schießen konnte. Sollte er auf Mergentheim anlegen und Mergentheim auf ihn? Vielleicht keine schlechte Idee. Man müßte Sophie zur entzückenden Frau ernennen. Sie würde mitmachen. War kein Spielverderber. Jetzt kam das deutsche Lustspiel. Keetenheuve war erschöpft. Das Lustspiel flimmerte. Es war Gespensterspuk. Der Liebhaber verkleidete sich. Er ging als Dame aus. Nun gut, es gab Transvestiten. Aber Keetenheuve fand es nicht komisch. Der Transvestit setzte sich in eine Badewanne. Auch Transvestiten müssen mal baden. Was war daran komisch? Eine Dame überraschte den nun schicklich Nackten und nicht länger unschicklich Verkleideten in der Wanne. Man lachte neben Keetenheuve, man lachte vor und lachte hinter ihm. Warum lachten sie? Er verstand es nicht. Es erschreckte ihn. Er war ausgestoßen. Er war aus ihrem Gelächter ausgeschlossen. Er hatte nichts Komisches gesehen. Einen nackten Schauspieler. Eine dreimal geschiedene

126

Dame, die den Schauspieler in der Badewanne fand. Das waren doch eher traurige als komische Vorfälle! Sie lachten aber rings um Keetenheuve. Sie lachten schallend. War Keetenheuve ein Ausländer? War er unter Menschen gereist, die anders weinten, anders lachten, die anders waren als er? Vielleicht war er ein Ausländer des Gefühls, und das Gelächter aus der Dunkelheit, die ihn umgab, schlug schmerzhaft wie eine allzu kräftige Woge über ihn und drohte ihn zu ersticken. Er tastete sich hinaus aus diesem Labyrinth. Er verließ eilig das Kino. Es war eine Flucht. Ariadne piepste hinter ihm drein: »Rechts halten! Zum Ausgang rechts halten!« *Theseus auf der Flucht Minotaurus lebt*

Der Tag verdämmerte. Am Himmel war noch ein letzter Widerschein der untergehenden Sonne. Es war Abendbrotzeit. Sie saßen in ihren dumpfen Stuben, sie saßen vor den gemachten Betten, sie nährten sich, und sie lauschten kauend träge der Lautsprecherberieselung: Nimm mich mit Kapitän auf die Reise, Heimat deine Sterne. Nur wenige Menschen bevölkerten die Straße. Es waren Menschen, die nicht wußten, wohin sie gehen sollten. Sie wußten nicht wohin, auch wenn sie ein Zimmer hatten, auch wenn ihr Bett gemacht war, das Bier und die Wurst auf sie warteten, sie wußten nicht, wohin. Es waren Menschen wie Keetenheuve, und doch waren sie wieder anders als Keetenheuve – sie wußten auch mit sich nichts anzufangen. Vor dem Kino standen Halbwüchsige. Sie gingen zweimal in der Woche in das Kino hinein, und an den anderen Tagen standen sie vor dem Kino. Sie warteten. Worauf warteten sie? Sie warteten auf das Leben, und das Leben, auf das sie warteten, blieb aus. Das Leben erschien nicht zum Rendezvous vor dem Kino, oder wenn es erschien und neben ihnen stand, dann sahen sie es nicht, und die Lebensgefährten, die sich später einfanden und zu sehen waren, das waren nicht die erwarteten. Man hätte sich gar nicht hingestellt, wenn man gewußt hätte, daß nur sie kommen würden. Die Burschen warteten für sich. Die Langeweile hauste in ihnen wie eine Krankheit, und in ihren Gesichtern war schon zu lesen, daß sie langsam an dieser Krankheit sterben würden. Die Mädchen standen abseits. Sie waren weniger langeweilekrank als die Buben. Sie waren fickrig und kaschierten das, indem sie Köpfe zusammensteckten, tuschelten und sich aneinander rieben. Die jungen Männer betrachteten zum hundertstenmal die Filmphotographien. Sie sahen den Darsteller in der Badewanne sitzen, und sie sahen ihn Frauenkleider tragen. Was stellte der Darsteller dar? Einen Schwulen? Sie gähnten. Ihr Mund wurde ein rundes Loch, der Eingang eines Tunnels, in dem die Leere aus und ein ging. Sie steckten Zigaretten in das Loch, stopften die Leere, bissen die Lippen über dem Tabak zusammen und bekamen hämische wichtigtuerische Gesichter. Sie konnten einmal Abgeordnete werden; aber wahrscheinlich würde sie vorher das Militär holen. Keetenheuve hatte keine Vision: er sah sie nicht im Feldgrab liegen, er sah sie nicht auf Kinderwagenrädern beinlos zur Bettelfahrt rollen. In dieser Stunde hätte er sie nicht einmal bedauert. Die Gabe der Vorhersicht war ihm genommen, und das Mitgefühl war gestorben. Ein Bäckerlehrling beobachtete die Kinokasse. Die Kassiererin saß im Kassenkasten wie die Wachsbüste einer Dame im Schaufenster eines Friseurs. Die Kassiererin lächelte starr und süß wie die Wachsbüsten und trug dünn und stolz ihr onduliertes Perückenhaar. Der Bäckerlehrling überlegte, ob er die Kassiererin berauben könne. Sein Hemd war tief bis zum Nabel geöffnet, und seine sehr kurze Backstubenhose bedeckte gerade seinen Hintern. Seine Brust und seine nackten Beine waren mehlbestäubt. Er rauchte nicht. Er gähnte nicht. Seine Augen waren wach. Keetenheuve dachte: Wenn ich ein Mädchen wäre, ich würde mit dir ans Ufer gehen. Keetenheuve dachte: Wenn ich die Kassiererin wäre, ich würde mich vorsehen.

Es begegneten ihm Einsame, die einen verzweifelten Bummel durch die Stadt machten. Was dachten sie? Was litten sie? Waren sie sinnlich? Quälte es sie? Suchten sie Partner für die Geilheit, die in ihnen gärte? Sie würden die Partner nicht finden. Die Partner waren überall. Sie gingen aneinander vorüber, Männer und Frauen, sie tränkten sich mit Bildern, und in der gemieteten Kammer, in dem gemieteten Bett würden sie sich der Straße erinnern und sich selbst befriedigen. Einige hätten sich gern betrunken. Sie hätten gern ein Gespräch geführt. Sie blickten sehnsüchtig in die Fenster der Wirtschaften. Aber sie hatten kein Geld. Der Lohn war verteilt; er war für Miete, Wäsche, für die notwendige Verpflegung, ein Aliment, eine Unterstützung verteilt; sie mußten froh sein, wenn sie den Job behielten, der das Geld, das verteilt werden mußte, einbrachte. Sie stellten sich vor die Schaufenster und betrachteten teure photographische Apparate. Sie überlegten, ob die Leica oder die Contax besser sei, und sie konnten sich keine Kinderbox leisten. Keetenheuve ging in die Weinstube mit den getäfelten Wänden. Es war still, es war angenehm; nur die Hitze war in der Stube stehengeblieben; er schwitzte. Ein alter Herr saß bei seinem Wein und las die Zeitung. Er las den Leitartikel. Der Artikel war überschrieben *Wird der Kanzler siegen?* Keetenheuve hatte den Artikel gelesen; er wußte, daß sein Name in dem Aufsatz als ein Stein auf dem Weg des Kanzlers erwähnt war. *Keetenheuve Stein des Anstoßes.* Er bestellte einen Ahrwein, der hier gut war. Der alte Herr streichelte, während er sich über die Aussichten des Kanzlers unterrichtete, einen alten Dackel, der neben ihm manierlich auf der Bank hockte. Der Dackel hatte ein kluges Gesicht; er sah wie ein Staatsmann aus. Keetenheuve dachte: So werde auch ich einmal sitzen, alt, allein, auf die Freundschaft eines Hundes angewiesen.

Aber es war noch die Frage, ob er das haben würde, einen Hund, ein Glas Wein und irgendwo in der Stadt ein Bett. Ein Priester kam in die Weinstube. Ein kleines Mädchen begleitete den Priester. Das kleine Mädchen war wohl zwölf Jahre alt und hatte rote Söckchen an. Der Priester war groß und stark. Er sah wie ein Landmann aus, aber er hatte den Kopf eines Gelehrten. Es war ein guter Kopf. Der Priester reichte dem kleinen Mädchen die Weinkarte, und das kleine Mädchen las schüchtern die Namen der Weine. Das kleine Mädchen fürchtete, es würde Limonade bekommen; aber der Priester fragte sie, ob sie Wein trinken wolle. Er bestellte für das kleine Mädchen ein Achtel und für sich ein Viertel. Das kleine Mädchen faßte das Weinglas mit beiden Händen an und trank mit kleinen vorsichtigen Schlucken. Der Priester fragte: »Schmeckt er dir?« Das kleine Mädchen sagte: »Guut!« Keetenheuve dachte: Du brauchst nicht schüchtern zu sein; er ist froh, daß du bei ihm bist. Der Priester zog eine Zeitung aus seiner Soutane. Es war eine italienische Zeitung, es war eine vatikanische, es war der Osservatore Romano. Der Priester setzte eine Brille auf und las den Leitartikel des Osservatore. Keetenheuve dachte: Die Zeitung ist nicht schlechter als andere, wahrscheinlich ist sie besser. Keetenheuve dachte: Der Artikel ist gut geschrieben, sie sind Humanisten, sie können denken, sie vertreten mit guten Gründen eine gute Sache, aber sie unterdrücken die Ansicht, daß man mit genauso guten Gründen eine gegenteilige Sache vertreten kann. Keetenheuve dachte: Es gibt keine Wahrheit. Er dachte: Es gibt den Glauben. Er überlegte: Glaubt der Redakteur des Osservatore, was in seinem Blatt steht? Ist er Geistlicher? Hat er die Weihen empfangen? Wohnt er im Vatikan? Keetenheuve dachte: Ein schönes Leben; am Abend die Gärten, am Abend der Spaziergang am Tiber. Er sah sich als Priester am Ufer des Tiber wandeln. Er trug eine saubere Soutane und einen schwarzen Hut mit

einem roten Band. *Keetenheuve Monsignore. Kleine Mädchen knicksten und küßten ihm die Hand.* Der Priester fragte
das kleine Mädchen: »Willst du einen Sprudel zum Wein?«
Das kleine Mädchen schüttelte den Kopf. Es trank seinen
Wein rein mit genießerischen kleinen Schlucken. Der Priester faltete den Osservatore zusammen. Er nahm die Brille
ab. Seine Augen waren klar. Sein Gesicht war ruhig. Es war
kein leeres Gesicht. Er schmeckte den Wein wie ein Wein-
bauer. Die Söckchen des kleinen Mädchens hingen rot unter
dem Tisch. Der alte Herr streichelte seinen klugen Dackel.
Es war still. Auch die Kellnerin saß still an einem Tisch. Sie
las in einer Illustrierten den Fortsetzungsbericht *Ich war
Stalins Freundin.* Keetenheuve dachte: Ewigkeit. Er dachte:
Erstarrung. Er dachte: Verrat. Er dachte: Glauben. Er
dachte: Der Friede trügt. Und er dachte weiter: Die Hitze
hier, die Stille hier, das ist ein Moment der Ewigkeit, und
eingeweckt in diesen Moment der Ewigkeit sind wir, der
Priester und der Osservatore Romano, das kleine Mädchen
und seine roten Söckchen, der Herr und sein Hund, die Kellnerin, die sich ausruht, Stalin und seine treulose Freundin
und ich, der Abgeordnete, ein Proteus, aber krank, aber
schwach, doch wenigstens noch unruhig.
Auf einmal zahlten sie alle. Der Priester zahlte. Der alte
Herr zahlte. Keetenheuve zahlte. In der Weinstube war
Feierabend. Wohin? Wohin? Der alte Herr und sein Hund
gingen nach Hause. Der Priester brachte das kleine Mädchen nach Hause. Hatte der Priester kein Zuhause? Keetenheuve wußte es nicht. Vielleicht besuchte der Priester Korodin. Vielleicht übernachtete er in einer Kirche, verbrachte
die Nacht im Gebet. Vielleicht hatte er ein schönes Heim,
ein breites Barockbett mit gedrechselten Schwänen, alte
Spiegel, eine bedeutende Bibliothek, Franzosen des sieb-
zehnten Jahrhunderts, vielleicht schmökerte er noch ein wenig, vielleicht schlief er auf kühlem Linnen ein, und vielleicht

träumte er von roten Söckchen. Keetenheuve trug kein Verlangen, nach Hause zu gehen; seine Abgeordnetenabsteige war ein Pied-à-terre der Unlust, eine Puppenstube der Angst, in der er nur eines fühlen würde – wenn er dort stürbe, niemand würde trauern. Den ganzen Tag fürchtete er sich schon vor dieser traurigen Stube.

Die Straßen des Viertels waren leer. Nutzlos brannten die Lampen in den Schaufenstern der Konfektionäre. Keetenheuve betrachtete das Leben der Schaufensterfamilien. Eine Rundfunkstation hatte die ideale Familie gesucht. Hier war sie. Der Konfektionär hatte sie längst gefunden. Ein grinsender Vater, eine grinsende Mutter, ein grinsendes Kind starrten verzückt auf ihre Preisschilder. Sie freuten sich, weil sie billig gekleidet waren. Keetenheuve dachte: Wenn es dem Dekorateur einfiele, den Mann in eine Uniform zu stecken, wie wird er grinsen, wie werden sie ihn grinsend bewundern; sie werden ihn bewundern, bis im Druck der Explosion die Scheiben platzen, bis im Feuersturm das Wachs wieder schmelzen wird. Auch die Dame im Nebenfenster, die eine mondäne Frisur, einen lüsternen Mund und einen netten frech herausgestreckten Unterleib hatte, freute sich ihrer preiswerten Drapierung. Es war eine Idealbevölkerung, die da stand, ideale Väter, ideale Hausfrauen, ideale Kinder, ideale Freundinnen *Fortsetzungsbericht* Ich war Keetenheuves Schaufensterpuppe *Keetenheuve Persönlichkeit der Zeitgeschichte, Keetenheuve Sittenbild der Illustrierten,* sie grinsten Keetenheuve an. Sie grinsten aufmunternd. Sie grinsten: Greif zu! Sie führten ein ideales, sauberes und billiges Leben. Selbst der frech herausgestreckte Unterleib der mondänen Puppe, der kleinen Hure, war sauber und billig, er war ideal, er war synthetisch: in diesem Schoß lag die Zukunft. Keetenheuve konnte sich eine Puppenfamilie kaufen. Eine ideale Frau. Ein ideales Kind. Er konnte seine Abgeordnetenpuppenwohnung mit ihnen bevölkern. Er konnte sie lieben. Er konnte sie in den Schrank legen, wenn er sie nicht mehr lieben mochte. Er konnte ihnen Särge kaufen, sie hineinbetten und sie beerdigen.

Die Stadt bot dem einsamen Wanderer vieles an. Sie bot ihm Automobile an, sie bot ihm Öfen an, Kühlschränke, Fahrräder, Töpfe, Möbel, Uhren, Radioapparate, all diese Güter standen oder lagen in den wie nur für Keetenheuve erleuchteten Schaufenstern in einer auffallenden Vereinsamung, sie waren des Teufels Versuchung, sie waren zu dieser Stunde unwirkliche Automobile, unwirkliche Öfen, Töpfe oder Schränke, sie waren wie in die Form von Verbrauchsgegenständen gebrachte Zaubersprüche oder Flüche. Ein mächtiger Zauberer hatte alles erstarren lassen, es war fest gewordene, in eine Zufallsform gepreßte Luft, und es hatte dem Zauberer Spaß gemacht, auch häßliche Formen zu bilden, und nun freute er sich, daß der Mensch diese Dinge begehrte und für sie arbeitete, für sie mordete, stahl, betrog; ja, der Mensch brachte sich um, wenn er die Wechsel nicht einlösen konnte, die Unterschrift, die er dem Teufel gegeben und mit der er sich die Zaubersachen aufgehalst hatte. Ein Laden mit rotem Licht war reine schwarze Magie. Ein Mensch stand aufgeschnitten in einer Vitrine. Keetenheuve sah das Herz, die Lungen, die Nieren, den Magen des Menschen; sie lagen frei und in natürlicher Größe vor seinen Augen. Die Organe waren durch Glasröhren, durchsichtige Laboratoriumsschlangen miteinander verbunden, und durch die Röhren lief eine hellrote Limonade, die man mit dem Zaubertrank Sieglinde in Schwung halten sollte. Der aufgeschnittene Mensch trug einen Totenschädel mit geputzten Zähnen, und sein rechter Arm, der von der Haut entblößt war, so daß Muskelstränge und Nervenbahnen aufgedeckt zu sehen waren, sein rechter Arm war zum Faschistengruß erhoben, und Keetenheuve glaubte das »Heil Hitler« zu hören, das dieses Gespenst ihm entgegenschmetterte. Das Wesen hatte keine

Geschlechtsmerkmale, es stand impotent in einem Lager hygienischer Artikel, wie sie sich nannten, und Keetenheuve bemerkte Gummiduschen, Präservative, empfängnisverhütende Tabletten, allerlei schmierige Pasten und verzuckerte Pillen, ein Storch aus Kunstharz war zu sehen, und ein Leuchtschild verkündete: *Hier finden Sie das Beste für unsere Kleinen.*

Keetenheuve dachte: Nicht mehr mitspielen, nicht mitmachen, den Pakt nicht unterschreiben, kein Käufer, kein Untertan sein. Keetenheuve träumte für eine Weile in den nächtlichen, in den stillen Straßen der Hauptstadt, die sich jetzt wieder darauf besann, eine Kleinstadt zu sein, den uralten Traum von der Bedürfnislosigkeit. Der Traum gab ihm die Kraft, wie er noch jedem Kraft gegeben hat. Seine Schritte hallten. *Keetenheuve Asket. Keetenheuve Jünger des Zen. Keetenheuve Buddhist. Keetenheuve der große Selbstbefreier.* Aber die Anregung, die er empfand, regte auch die Säfte an, die geistige Beflügelung seiner Schritte weckte auch den Appetit, der große Selbstbefreier spürte Hunger, er spürte Durst, es war nichts mit der Befreiung, die, wenn sie gelingen sollte, jetzt beginnen mußte, jetzt, gleich und sofort. Seine Schritte hallten. Sie hallten hohl in der stillen Straße.

Keetenheuve ging in die zweite Weinstube der Stadt. Die Weinstube war weniger still, die Weinstube war weniger vornehm als die erste, kein Priester verkehrte dort, kein kleines Mädchen in roten Söckchen erfreute den Blick, aber das Lokal war noch offen, es wurde noch ausgeschenkt. Zwei Stammtische debattierten. Es waren dicke Männer, es waren dicke Frauen; sie hatten hier ihre Geschäfte, sie hatten ihr bequemes Auskommen, sie hatten die Schaufenster erleuchtet, sie waren mit dem Teufel im Bund. Keetenheuve bestellte Wein und Käse. Es befriedigte ihn, daß er Käse bestellte. Der Buddhist wollte nicht, daß für ihn geschlachtet

wurde. Der leicht stinkende Käse war eine Gewissensberu-
higung. Er schmeckte ihm. An der Wand hing das Ver-
mächtnis des sterbenden Weinhändlers an seine Söhne: Man
kann Wein auch aus Trauben bereiten. Der Wein, den Keetenheuve trank, war gut. Und dann kamen die Heilsarmeemädchen in das Lokal.

Nur eines der Mädchen trug die blaurote Uniform und den
Schutenhut der Soldaten des Herrn, und von der anderen
wußte man nicht, ob sie überhaupt zur Heilsarmee gehörte,
ob sie eine noch nicht eingekleidete Novizin oder ob sie nur
zufällig mitgegangen war, freiwillig aus Freundschaft oder
unfrei durch widergünstige Verhältnisse dazu gezwungen,
trotzig oder aus bloßer Neugier. Sie war vielleicht sechzehn
Jahre alt. Sie hatte ein zerknittertes Kleid aus einer billigen
Kunstfaser an, ihre junge Brust hob den rauhen Stoff, und
Keetenheuve fiel ein Ausdruck des Staunens in ihrem Gesicht auf, ein ständiger Zug der Verwunderung, gepaart mit
Enttäuschung, Reue und Zorn. Das Mädchen war nicht eigentlich schön, auch war sie klein, aber die frische und etwas
trotzige Haltung machten sie hübsch. Sie war wie ein junges
Pferd, das ins Gespann genommen war, erschreckt ist und
sich aufbäumt. Sie folgte zögernd, die Blätter des »Kriegsru-
fes« in der Hand, der Uniformierten, die fünfundzwanzig
Jahre alt sein mochte, ein blasses, von Heimsuchungen ge-
zeichnetes Gesicht hatte, in dessen bleicher nervös gespann-
ter Fläche streng ein fast lippenloser Mund verschlossen
ruhte. Ihr Haar, soweit Keetenheuve es unter der Schute sehen konnte, war kurz geschnitten, und das Mädchen sollte,
wenn es die entstellende Kopfbedeckung abnahm, wie ein
Knabe aussehen. Keetenheuve fühlte sich von dem Paar angezogen. *Keetenheuve neugierig und empfindsam.* Die Uniformierte hielt dem Stammtisch die Sammelbüchse hin, und
die dicken Geschäftsleute warfen mit mißmutiger Miene
Fünfpfennigstücke in den verrosteten Schlitz. Ihre dicken

Weiber blickten dumm und hochmütig in die Weite; sie schauten, als wären das Heilsarmeemädchen und die Sammelbüchse nicht zu sehen. Das Mädchen zog ihre Büchse zurück, und in ihrem Gesicht waren Gleichgültigkeit und Verachtung. Die Bürger sahen nicht zu dem Gesicht des Mädchens auf. Sie vermuteten nicht, daß man sie verachten könne; und das Heilsarmeegeschöpf brauchte sich nicht zu mühen, seine Verachtung zu verbergen. Die mit frommen Spruchbändern geschmückte Gitarre schlug mit hellem Ton gegen Keetenheuves Tisch, und das Mädchen hielt nun ihm verächtlichen Ausdrucks die Büchse hin – ein hochmütiger, finsterer Engel des Heils. Keetenheuve wollte mit ihr reden, aber Schüchternheit hinderte ihn, und er sprach nur in seinen Gedanken zu ihr. Er bat: Singen Sie doch! Singen Sie den Choral! Und das Mädchen sprach in Keetenheuves Gedanken: Es ist nicht der Ort! Und Keetenheuve erwiderte in seinem Denken: Jeder Ort ist der rechte Platz, um den Herrn zu preisen. Und er dachte weiter: Du bist eine kleine Lesbierin, du erinnerst mich, und du hast große Angst, dir könnte etwas genommen werden, was du dir gestohlen hast. Er schob fünf Mark in die Sammelbüchse, und er schämte sich, weil er fünf Mark in den Schlitz steckte. Es war zuviel, und es war zuwenig. Die kleine nichtuniformierte Sechzehnjährige beobachtete Keetenheuve und schaute ihn verwundert an. Und dann schob sich die ein wenig aufgesprungene Unterlippe ihres gewölbten sinnlichen Mundes vor, und in ihrem Gesicht zeigten sich sinnlos aufrichtige Wut und Empörung. Keetenheuve lachte, und das Kind sah sich ertappt und errötete. Keetenheuve hätte die Mädchen gern aufgefordert, sich zu ihm zu setzen. Er wußte, daß es bei den Bürgern ein Aufsehen geben würde; aber das war ihm gleichgültig, ja, es hätte ihn gefreut. Aber er war schüchtern gegen die Mädchen, und bis er es wagte, sie zu sich zu bitten, rief die Uniformierte die Kleine, die unentwegt Keetenheuve anstarrte, energisch zur Tür. Das junge Mädchen bebte wie das Pferd, das den verhaßten Ruf des Kutschers hört und einen festen Griff an der Kandare fühlt; sie wandte von Keetenheuve den Blick und rief: »Gerda, ich komme ja schon.« Die Mädchen gingen. Die Tür klingelte. Die Tür fiel ins Schloß. Und mit dem Zuschlagen der Tür sah Keetenheuve London. Er sah einen großen Plan der großen Stadt London mit all ihren ins Land gelegten Vororten an der Wand einer Untergrundbahnstation hängen, und auf dem Plan war in London im Viertel der Docks ein wenig Fliegendreck. Da stand er, Keetenheuve, in London im Viertel der Docks und auf einer Untergrundbahnstation. Der Zug, der ihn ausgeworfen hatte, war weitergefahren; es brauste und zog eisig im Fahrtunnel. Keetenheuve fror auf dem Bahnsteig. Es war Sonntagnachmittag. Es war ein Sonntagnachmittag im November. Keetenheuve war arm, fremd und allein. Auf der Straße regnete es. Es war ein strichelnder, peitschender Regen, der aus niedrigen Wolken tropfte, aus trächtigen Nebelwänden, die wie schwere wollene Mützen auf den Dächern der aussätzig schmutzigen Häuser, der geteerten Schuppen lagen und sich mit dem beißenden trägen Rauch aus alten grindigen Kaminen vollsogen. Der Rauch dunstete nach Mooren, er roch wie schwelender Torfbrand auf nassem Moor. Es war ein bekannter Geruch, es war der Geruch der Hexen Macbeth', und im Wind war ihr Schrei; schön ist wüst, und wüst ist schön! Die Hexen waren mit den Nebelbänken in die Stadt gereist, sie hockten auf den Dächern und Traufen, sie hatten ein Rendezvous mit dem Seewind, sie besichtigten London, sie pißten in die alten Viertel, und dann heulten sie geil auf, wenn der Sturm sie stieß, wenn er sie ins Wolkenbett warf, sie durchschüttelte, sie toll und lüstern umfing. Überall pfiff und stöhnte es. Ringsumher knarrte das Gebälk der Speicher, ächzten die windschiefen Dächer. Keetenheuve stand auf der Straße. Er hörte die Hexen gurren. Die Kneipen waren geschlossen. Männer standen untätig herum. Sie hörten die Hexen. Die warmen Kneipen waren geschlossen. Frauen standen frierend in den Torwegen. Sie lauschten ins Hexenrumoren. Der Gin war in den verriegelten Kneipen eingeschlossen. Die geilen Hexen lachten, heulten, pißten, koitierten. Der Himmel war voll von ihnen. Und da kam aus Nebel und Nässe, aus Torfrauch, Sturm und Hexensabbath die Musik, kam die Heilsarmee mit ihren Bannern, kam mit ihrem »Kriegsruf«, kam mit Pauken und Trompeten, mit Schirmmützen und Schutenhüten, mit Ansprachen und Chorgesang und versuchte, die Dämonen zu bannen und die Nichtigkeit des Menschen zu leugnen. Der Zug der Heilsarmee formte eine Schnecke, schloß einen Kreis, und da standen sie und riefen, bliesen und paukten ihr *Lobet den Herrn*, und die Hexen lachten weiter, hielten sich den Wolkenbauch, pißten und legten sich vor dem Wind auf den Rücken. Gelbe graue schwarze moorgeschwängerte schwellende wollustwehe Hexenschenkel, Hexenbäuche waren der sturmgerüttelte wolkige Himmel über dem schmutzigen Square zwischen den Docks. Die kleinen gemütlichen Kneipen waren geschlossen, die finsteren, anheimelnden Stehausschänke. Und wären die Kneipen selbst offen gewesen, wer hätte den Shilling gehabt für das leimige dunkelschäumende Bier? So stellten sich die Männer und die Frauen, so stellten sich die Armen des Sonntags, so stellte sich *Keetenheuve armer Emigrant* um die Heilsleute auf, sie hörten der Musik zu, sie hörten stumm dem Singen zu, aber sie hörten die Ansprache nicht, sie hörten die Hexen, sie fühlten, wie es kalt nach ihnen griff, sie fühlten, wie es sie durchnäßte. Und dann gingen sie, ein schultergebeugter, ein frierender, ein trauriger Zug, die Arme verschränkt, die Hände in die Taschen gesteckt. Männer und Frauen, *Keetenheuve Emigrant SA marschiert*, hinter der Heilsarmeefahne her, hinter der Heilsarmeepauke drein, und die

138

Hexen tobten und lachten, und der Wind stieß sie ordentlich, fest, noch einmal noch einmal, du lieber Wind von der See, vom eiskalten Pol, erwärm dich, erhitze dich, wir sind die Hexen vom Moor, wir sind zum Ball im guten alten London... Sie kamen zu einem Schuppen, und dort mußten sie warten, weil auch die Heilsarmee ihnen zeigen wollte, daß sie arme Leute waren, die zu warten hatten. Und warum sollten sie nicht warten? Es wartete nichts auf sie. Der Schuppen war warm. Es brannten Gaskamine. Sie summten, ihre Flammen leuchteten gelb und rot und blau wie flatternde Irrlichter, und es roß süßlich im Raum, süßlich wie nach einer dumpfen Narkose. Sie setzten sich auf Holzbänke ohne Lehnen, denn für die Armen sind Bänke ohne Lehnen gut genug. Die Armen dürfen nicht müde sein. Die Reichen dürfen sich anlehnen. Hier waren nur Arme. Sie stützten die Hände auf die Schenkel und beugten sich vor, denn sie waren kreuzmatt vom Stehen, vom Warten, vom Verlorensein. Die Musik spielte »Wacht auf ihr Christen allzumal«, und ein Mann, den sie Oberst nannten und der wie ein Oberst aus dem »Sketch« aussah *Colonel Keetenheuve bei einer Kricketpartie auf Schloß Bancquo*, hielt die Predigt. Der Oberst hatte eine Frau (sie sah lange nicht so vornehm aus wie er, dessen Bild im »Sketch« erschien, sie konnte gerade noch seine Waschfrau sein, durfte seine Unterhosen walken), und Frau Oberst forderte, nachdem Herr Oberst gesprochen hatte (Was hatte er gesagt? Keetenheuve wußte es nicht, niemand wußte es), Frau Oberst forderte die Versammelten auf zu bekennen, wie schlecht sie seien. Nun lebt ein Hang zur Entblößung in vielen Menschen, auch eine Neigung zum Masochismus, und so traten einige vor und klagten sich eitel schlechter Gedanken an, die sie nie gedacht hatten, während sie ängstlich verhüteten, daß die Schlangen aus ihnen sprachen, das Giftgewürm, das wirklich in ihrer Brust nistete. Die schlechten Taten blieben ungebeichtet. Vielleicht war es klug, sie hier nicht zu erwähnen. Vielleicht saßen Kriminalbeamte im Saal. Und was waren überhaupt schlechte Taten, wenn man sie hier den Menschen und doch wohl auch Gott bekennen sollte? Einen Hund zu quälen, ist eine schlechte Tat. Ein Kind zu schlagen, ist eine schlechte Tat. Aber war es ein schlechter Gedanke, die Bank berauben zu wollen? Oder war es schlecht, einen Anschlag auf einen mächtigen bösen und allseits geehrten Mann zu planen? Wer wußte es? Man brauchte ein sehr waches Gewissen, um das zu entscheiden. Hatte der Oberst der Heilsarmee ein solches Gewissen? Er sah nicht so aus. Sein vornehmer Stutzbart war martialisch, er war mehr Armee als Heil. Und wenn der Oberst dieses empfindsame Gewissen hätte, was würde es ihm nützen, denn gerade ein entwickelter, ein scharfer, ein zarter Sinn für Gut und Böse wird die Frage, ob ein Bankraub sittlich oder unsittlich sei, überhaupt nicht beantworten können. Nach der Beichte gab es endlich den erwarteten Tee. Er wurde aus einem großen dampfenden Kessel in Aluminiumbecher geschöpft. Der Tee war schwarz und stark gesüßt. Man verbrannte sich an dem Aluminiumbecher die Lippen, aber wohlig lief der Trank über die Zunge, wohlig und glühend rann er in den Leib. Die Gasflammen summten, und ihre weichen tödlichen Abgase vermischten sich mit dem süßen Duft des Tees, mit Indiens Märchengeruch und mit der strengen Ausdünstung der ungewaschenen Körper, dem Mief der regennassen, nun schwelenden Kleider zu einem Nebel eigener Art, der sich vor Keetenheuves Augen rötete und ihn schwindlig machte. Alle sehnten sich nach draußen, sie sehnten sich nach dem Sturm, sie sehnten sich nach den Hexen – aber die lockenden Kneipen waren noch immer geschlossen. Man wollte auch hier in Bonn schließen. Die Stammtische brachen auf. Die Geschäftsleute reichten sich unter falschem Lächeln die fetten Hände, sie drückten einander die dicken Finger mit den

goldenen Ringen, sie wußten, was jeder wert war, sie kann-
ten den gegenseitigen Saldo. Nun gingen sie und löschten die
Lampen in ihren Schaufensterfallen. Sie entkleideten sich.
Sie entleerten sich. Sie krochen ins Bett, der dicke Ge-
schäftsmann, die dicke Geschäftsmannsfrau, der Sohn wird
studieren, die Tochter wird gut heiraten, die Frau gähnt, der
Mann furzt. Gute Nacht! Gute Nacht! Wer friert auf dem
Feld?
Keetenheuve sah, wie die Lichter in den Fenstern erloschen.
Wo sollte er hingehen? Er ging ziellos. Und vor dem Kauf-
haus traf er wieder die Heilsarmeemädchen, und diesmal
begrüßte er sie wie alte Bekannte. Gerda zerbiß ihre schmalen blutlosen Lippen. Sie war wütend. Wie haßte sie die
Männer, die in ihrer Vorstellung durch das unverdiente Geschenk des Penis toll gewordene Dummköpfe waren. Gerda
wäre gern davongelaufen, aber sie zweifelte, ob Lena, die
kleine Sechzehnjährige, ihr folgen würde, und so mußte sie
stehenbleiben und die Nähe des räuberischen Mannes er-
dulden. Keetenheuve ging mit Lena vor den Schaufenstern
des Kaufhauses auf und ab, auf und ab vor dem erloschenen
Licht in den Zimmern der Puppen, und er hörte, während
Gerda sie verkniffenen Mundes und mit brennenden Augen
beobachtete, die Geschichte eines Flüchtlings. Lena erzählte
sie ihm mit einem sanften, zärtlich die Silben verschlucken-
den Dialekt. Sie kam aus Thüringen und war Mechanikerlehrling. Sie behauptete, Zeugnisse zu haben, daß sie Mechaniker sei und schon als Werkzeugmacher gearbeitet
habe. Ihre Familie war mit Lena nach Berlin geflogen, und
dann waren sie in den Bund geflogen worden und hatten
lange in Lagern gelebt. Lena, der kleine Mechaniker, wollte
seine Lehrzeit beenden, und dann wollte er als Werkzeugmacher viel Geld verdienen, und dann wollte er studieren
und Ingenieur werden, wie man es ihm im Osten versprochen hatte, aber im Westen lachte man ihn aus und sagte

141

ihm, die Drehbank sei hier nichts für Mädchen und das Studieren nichts für Arme. So steckte irgendein Arbeitsamt Lena in eine Küche, steckte sie in die Küche eines Gasthauses, und Lena, der Flüchtling aus Thüringen, mußte die Teller abspülen, die fettigen Reste, die fetten Saucen, die Fetthäute der Würste, die fetten übriggebliebenen Stücke vom Braten, und ihr wurde übel vor so viel Fett, und sie kotzte in das bleiche schwabbelnde Fett hinein. Sie lief aus der Fettküche fort. Sie lief auf die Straße. Sie stellte sich am Wegrand auf und winkte den Automobilen, denn sie wollte das Paradies erreichen, das ihr als eine blanke Fabrik mit geölten Werkbänken und gutbezahlter Achtstundenarbeit vorschwebte. Handlungsreisende nahmen Lena mit. Fette Hände betasteten ihre Brust. Fette Hände langten unter ihren Rock, zerrten am Steg ihrer Hose. Lena wehrte sich. Die Handlungsreisenden schimpften. Lena versuchte es mit den Lastfahrern. Die Lastfahrer lachten über den kleinen Mechaniker. Sie langten Lena unter den Rock. Wenn sie schrie, schalteten sie den Motor 'runter und warfen Lena im ersten Gang aus dem Wagen. Sie kam zur Ruhr. Sie sah die Essen. Die Hochöfen brannten. Die Walzwerke arbeiteten. Die Schmieden schmiedeten. Aber vor den Werktoren saßen die fetten Portiers, und die fetten Portiers lachten, wenn Lena fragte, ob man einen geübten Mechanikerlehrling einstellen wolle. Die fetten Portiers waren viel zu fett dazu, um einem Mechanikerlehrling unter den Rock zu greifen. So war Lena in die Hauptstadt gekommen. Was tut der Obdachlose, was beginnt der Hungernde? Er hält sich am Bahnhof auf, als ob mit den Zügen das Glück käme. Viele sprachen Lena an. Auch Gerda sprach Lena an. Lena folgte Gerda, dem Heilsarmeemädchen, und sie besah sich die Stadt mit dem »Kriegsruf« in der Hand, und sie wunderte sich über alles, was sie sah. Keetenheuve dachte: Auch Gerda wird deine Brust anfassen. Er dachte: Auch ich werde es tun. Er dachte:

Es ist dein Schicksal. Er dachte: Wir sind so, es ist unser Schicksal. Er sagte ihr aber, daß er versuchen wolle, ihr eine Stelle zur Beendigung ihrer Lehre zu verschaffen. Gerdas Mund öffnete sich böse. Sié meinte, das hätten schon viele Lena versprochen, und diese Versprechungen kenne man. Keetenheuve dachte: Du hast recht, ich will Lena wiedersehen, ich will sie anfassen, sie reizt dazu, und mich reizt sie besonders; das ist es. *Keetenheuve ein schlechter Mensch*. Er nahm sich aber dennoch vor, mit Korodin, der Verbindungen zu Fabriken hatte, vielleicht auch mit Knurrewahn oder mit einem in arbeitsamtlichen Verhältnissen erfahrenen Kollegen seiner Fraktion über Lena zu sprechen. Er wollte ihr helfen. Der Mechaniker sollte an seine Werkbank kommen. *Keetenheuve ein guter Mensch*. Er bat Lena, am nächsten Abend wieder in die Weinstube zu schauen. Gerda nahm Lenas Hand. Die Mädchen entschwanden in die Nacht. Keetenheuve blieb in der Nacht zurück.

Nacht. Nacht. Nacht. Kein guter Mond. Ein Wetterleuchten. Nacht. Nacht. Nachtleben. In der Gegend vom Bahnhof versuchte man's. Lemuren. In der Bar glotzten Lemuren auf ein hageres Gespenst, das einen Rekord im Dauerklavierspiel aufstellen wollte. Das Gespenst saß in durchschwitzten Strümpfen an einem alten Flügel und hämmerte, von gefüllten Aschenbechern und geleerten Coca-Cola-Flaschen umgeben, aus den Tasten die Melodien, die jeder Lautsprecher brüllte. Von Zeit zu Zeit trat ein Kellner an das Gespenst heran, steckte ihm mit gleichgültiger Miene eine Zigarette in den Mund oder schüttete ihm gelangweilt ein Glas Coca-Cola in den Schlund. Das Gespenst nickte dann wie der Tod im Kasperle-Theater, was Dankbarkeit und kameradschaftliche Verbundenheit ausdrücken sollte. Nacht. Nacht. Lemuren. Die Rheinuferbahn blitzte. Sie blitzte nach Köln. An der Station im Café Kranzler saßen dicke Männer und sangen »Ich hab' noch einen Koffer in Berlin«. Sie blickten zu dicken Frauen hinüber und sangen »Ich hab' so Heimweh nach dem Kurfürstendamm«, und die dicken Frauen dachten: Ministerialräte, Regierungsräte, Botschaftsräte, und sie wackelten mit ihrem Fett auf Berliner Art, Schweineleber mit Äpfel und Zwiebel, schneuzten sich berlinerisch »So komm doch Kleener immer de Pfoten mang de Blumentöppe«, und die Agenten, die Reisenden, die Antichambrierer dachten: Wat für 'ne Wolke von Weib, jenau wie die Olle zu Hause, nur zu dufte, dreißig Piepen, die Olle macht's Sonntag umsonst, muß mir'n Magazin koofen, verjess' sonst, wie 'n Weib jebaut ist. »Ich passe.« Sie spielten Berliner Skat und tranken ihre Weiße mit Schuß aus großen Uringläsern. Nacht. Nacht. Lemuren. Frost-Forestier ging zu Bett. Die Fabrik Frost-Forestier wurde stillgelegt. Er turnte am Reck. Er stellte sich unter die Brause. Er frottierte den trainierten, den proportionierten Leib. Er trank zwei Schluck Kognak aus einem hohen Schwenkglas. Der große Funkkasten sprach Nachrichten. In Moskau nichts Neues. Aufrufe an das Sowjetvolk. Der kleine Funkkasten schrie: »Dora hat Windeln. Dora hat Windeln.« Auf dem Tisch lag eine Photokopie des Interviews der Generale aus dem Conseil Supérieur des Forces Armées. Mergentheims Telephonnummer steht auf dem Streifen. Auf dem Streifen steht: Anfragen wegen Guatemala. Das schwarze Photopapier mit der weißen Schrift sieht wie ein Corpus delicti aus. Frost-Forestier zieht den Wecker auf. Er ist auf fünf Uhr dreißig gestellt. Frost-Forestiers Bett ist schmal. Es ist hart. Eine dünne Decke deckt Frost-Forestier zu. Frost-Forestier schlägt einen Band aus dem Werk Friedrichs des Großen auf. Er liest. Er liest Friedrichs holpriges Französisch. Er betrachtet einen Stich, ein Bild des Königs, des Königs mit dem Windhundgesicht. Frost-Forestier löscht das Licht. Er schläft wie auf Kommando ein. Hinter den generalsroten Vorhängen draußen im Park schreit ein Käuzchen. Nacht. Ein Käuzchen schreit.

Es bedeutet Tod. *Ein Hund hat gebellt. Judenwitz. Bedeutet Tod. Keetenheuve abergläubisch.* Nacht. Nacht. Lemuren. Im ersten Stock wählten sie die Schönheitskönigin der Nacht. Abendkleider wie wehende Lokusfenstervorhänge. Ein Berufsrheinländer, immer lustig, immer vergnügt, stand am Hausmikrophon und bat die Damen zur Wahl. Kichern der Damen. Verschämte Blicke auf den geölten Fußboden. Der Berufsrheinländer, immer lustig, immer vergnügt, setzte durch, was er durchpeitschen wollte *Keetenheuve Einpeitscher im Haus der Gemeinen.* Der Berufsrheinländer, immer lustig, immer vergnügt, lief unter die Gäste, Sekttische, Weinzwangtische, Sekt-und-Weincommis, faßte die Händchen der Dämchen, führte sie aufs glatte Parkett der Entscheidung, stellte sie vor, stellte sie bloß, stellte sie zur Wahl, entgleiste Hausfrauen, ausgekratzte Mütter, Gewänder aus dem Heimberater *schlicht und strahlend,* wie entferne ich Spermatozoen, was koche ich schlank, fragen Sie Frau Christine sie rät am dümmsten, unfreie, verkrampfte, doch maßlos eingebildete Bewegungen. Keetenheuve stand am Eingang *Keetenheuve schlechter Gast Nassauer Flaschenzwang Flaschenkind nimm den Schnuller* er dachte ans Parlament, zweite Lesung des Gesetzes, das war morgen, kein Gesetz für Schönheitsparaden, Herr Präsident, meine Damen und Herren, eine Entscheidung von säkularer Bedeutung, wir stimmen im Hammelsprung ab, ich springe durch die falsche Tür, ärgert die Fraktion, wir springen hier Hammel, Schäfchen zur Rechten und Schäfchen zur Linken, der Berufsrheinländer, immer lustig, immer vergnügt, auf, auf, marsch, marsch!, er wartet auf die Annahme der Gesetze. Keetenheuve dachte: Was stellst du an, wie wirst du sie kränken, jede dieser des Rupfens nicht werten Gänse hält sich für schön, träumt sich unwiderstehlich, ihre Eitelkeit ist noch größer als ihre Dummheit, sie werden's dir übelnehmen. Den Berufsrheinländer aber, auf auf marsch marsch!,

145

lustig vergnügt, quälten solche Skrupel nicht. Munter blieb er beim einmal begonnenen Werk. Er numerierte seine goldene Schar, bat die verehrten Gäste, bat die Commis, geschwänzte Böcke, die Nummer der Erkorenen, die Nummer der Schönsten auf die im Saal verteilten Wahlzettel zu schreiben. War aber keine Schöne im Saal. Waren alle reizlos. Sie waren häßlich. Sie waren die häßlichen Töchter des Rheins. Wagalaweia, Huldinnen, Blödinnen, Ungekürte. Schau noch einmal hin! Eine animalische Hübsche ist da. Fleisch auf dem Markt. Ein rosiger Rabe. Keetenheuve wählte sie. *Keetenheuve erfüllte Wahlpflicht. Keetenheuve Staatsbürger.* Sie hatte geschwungene sinnliche Lippen, einen Kuhblick, leider, Europa *Keetenheuve Zeus,* einen runden Busen, straffe Hüften, schlanke Beine, und die Vorstellung, mit ihr im Bett zu liegen, war nicht unangenehm. Warm ist die Nacht. Van de Veldes Vollkommene Ehe. Liebling, wie soll ich mich drehen und wenden? *Keetenheuve Van-de-Velde-Gatte.* Er war neugierig. Wie standen die Odds? Machte sein Favorit das Rennen? Nur eine Stimme für die animalisch Hübsche! Sie war die Letzte im Kranz. Ein knochiger Kleiderständer mit Damenfrisur und Gansgesicht war gewählt; lief unter der Marke »anständiges Mädchen mit solider Aussteuer«. Hübschheit nicht gefragt. Im Schlafzimmer schummerige Lampen. Alle Katzen grau. Tusch der Künstlerkapelle. Der Berufsrheinländer, immer lustig, immer vergnügt, überreichte Schachteln mit klebrigem Konfekt. Holdes Lächeln der Schönen. *Holdes Mädchen, hör mein Flehen. Keetenheuve Sänger im Abgang.* Die Commis klatschten und bestellten die zweite Flasche; angeregte, geschwänzte Böcke. Rührige Vertreter gesucht. Zielbewußte Arbeiter. Arbeitete Keetenheuve zielbewußt? *Wird Keetenheuve klug? Nein, er wird nicht klug. Ist er verurteilt? Ja, er ist verurteilt. Keine Stimme: Ist gerettet? Keine Stimme.* Nacht. Nacht. Lemuren. Ein feinerer Ort, eine vornehmere

146

Stätte. François-Poncet war nicht erschienen. Ging in Paris im Frack der Akademiker aus. Palmenbestickt. Er arbeitete am Wörterbuch. Saß auf Pétains Stuhl. Sie wußte nicht, in welchem Arm sie lag, aber es war ein gesellschaftlich vertretbarer Arm, und der Kopf zu dem Arm gehörte einer Whisky-Reklame, King Simpson Old Kentucky Home American Blend, das forderte Vertrauen, und sie tanzte beim Wetterleuchten auf einer Terrasse am Rhein, Sophie Mergentheim aus der Vertriebsabteilung des alten »Volksblattes« in Berlin. Berliner Zimmer, Hofzimmer, Dunkelzimmer, beschlagnahmt, eingekerkert, verbrannt, zerstört, sie gehörte zum Schaum auf dem Pudding, Creme der Creme, rötlicher Fonds, goldener Schaum, karamelliert, Eidotter ins blonde Haar geklatscht. Mergentheim telephonierte. Der Gastgeber verließ diskret den Raum. Diplomat. Was tut er? Er lauscht diskret. Er zapft die Leitung an. Mergentheim telephonierte mit der Redaktion. Er vergewisserte sich. Der Artikel war im Blatt. Das Blatt war rechtzeitig zur Bahn gekommen. Mergentheim schwitzte in seinem Frack. Er dachte: Er ist eben mein Feind, ein Mann mit solchen Ansichten ist mein Feind. Nacht. Nacht. Lemuren. Keetenheuve stieg in den Keller. »Bei mir biste scheen« – das gab es unterirdisch. »Bei mir biste de Scheenste auf der Welt« – das war Katakombenluft, aber nicht die Katakomben unter dem Münster, nicht Korodins Grabstätte aus fränkisch-römischer Epoche, das war Keetenheuves Nachtstätte aus westbündlerischer Zeit, es duftete nicht nach Moder und nicht nach Weihrauch, es roch sehr intensiv nach Zigarettenqualm, nach Schnaps, nach Mädchen und nach Männern, man tanzte Boogie-Woogie und Rheinländer und beides heftig, es war das Lokal der jungen Leute, die keinen Stürmer trugen und keinen Schläger brauchten, um sich zu fühlen, es war eine wirkliche Katakombe, ein Keller des Verstecks, ein Hort der Opposition der Jugend gegen die alten

Betten der Stadt, aber die junge Opposition gluckste wie Grundwasser dahin, rumorte für eine Nacht im Brunnen und verrieselte dann in Hörsälen, in Streberseminaren, auf Büroschemeln und am Arbeitsplatz der Laborantin. »Wir kommen alle, alle in den Himmel«, spielte die Studentenkapelle. Keetenheuve stand an der Theke. Er trank drei Schnäpse. Er trank sie schnell hintereinander, kippte sie 'runter. Er fühlte sich alt. Er kam auch nicht in den Himmel. Die jungen Leute wirbelten. Ein dampfender brodelnder Gärteig. Nackte Arme, nackte Beine. Offenstehende Hemden. Nackte Gesichter. Sie vermischten sich. Sie verwischten. Sie sangen: »Weil wir so brav sind, weil wir so brav sind.« Keetenheuve dachte: Ihr werdet euch brav in die verachteten Schlafzimmerbetten der Eltern legen, ihr werdet euch keine neuen Betten bauen, aber vielleicht verbrennen die alten Betten bis dahin, vielleicht verbrennt ihr, vielleicht liegt ihr im Gras. Es war ein Gedränge vor der Theke, aber ihn berührte es nicht. Sie stießen ihn nicht. Er stand wie isoliert. Elke wäre ein Medium gewesen, das Keetenheuve mit der jungen Welt verbunden hätte. So wagte er nicht, sie einzuladen, mit ihm zu trinken. Nicht Jüngling und nicht Mädchen wagte er einzuladen. *Keetenheuve der steinerne Gast.* Er entfernte sich. *Keetenheuve Schuljunge mit dem die andern nicht spielen wollen.* Nacht. Nacht. Lemuren. Korodin betete. Er betete in einer Mansarde. Die Kammer war unmöbliert, bis auf einen Schemel, der vor einem Kruzifix stand, das ernst an der geweißten Mauer hing. Korodin kniete auf dem Schemel. Eine Kerze brannte. Sie flackerte. Das Fenster der Mansarde stand offen. Das Wetterleuchten war stärker geworden, und die Blitze illuminierten die Kammer. Korodin fürchtete sich vor dem Himmelsfeuer, und es war eine Kasteiung, daß er das Fenster nicht schloß. Er betete: Ich weiß, daß ich schlecht bin; ich weiß, daß ich nicht recht lebe; ich weiß, daß ich alles den Armen geben sollte;

148

doch ich weiß auch, daß es sinnlos wäre; kein Armer würde reich, kein Mensch würde besser werden. Herr, strafe mich, wenn ich irre! Der Gekreuzigte, von einem Meister aus Rosenholz geschnitzt, sah im Licht der Blitze schmerzgekrümmt, krank, leidend, er sah verwest aus. Er war ein Sinnbild der Qual. Die Qual blieb stumm. Sie antwortete Korodin nicht. Korodin dachte: Ich sollte weggehen. Ich sollte nichts verschenken. Das ist alles ganz falsch. Das hält nur auf. Das lenkt nur ab. Ich sollte einfach weggehen. Weggehen und immer weitergehen. Ich weiß nicht, wohin. Ich habe kein Ziel – und er ahnte wohl, daß es darauf ankam, kein Ziel zu haben. Das Nichtziel war das wahre Ziel. Aber er fürchtete den Blitz. Er fürchtete den beginnenden Regen. Er betete weiter. Christus blieb stumm. Nacht. Nacht. Lemuren. Am Bahnhof grölten Besoffene. Sie grölten: »Die Infanterie!« Vorbei! Sie grölten: »Wir wollen unsern Kaiser Wilhelm wiederhaben.« Vorbei! In Haustoren standen Strichburschen und boten sich an. Vorbei. Am Bahnhof warteten abdeckerreife Totenrosse der Lust auf einen Reiter. Vorbei. Es blitzte und donnerte. Der Regen fiel. Keetenheuve nahm ein Taxi. Es blieb ihm nichts anderes übrig. Er mußte heimfahren. Heim in die Puppenstube. Heim in das Getto. Heim in das Regierungsgetto, in das Getto der Abgeordneten, in das Getto der Journalisten, das Getto der Beamten, das Getto der Sekretärinnen. Es blitzte und donnerte. Er öffnete das von der niedrigen Zimmerdecke bis zum Fußboden reichende französische Fenster. Das schmale Wandklappbett erwartete ihn 'runtergeklappt, wie er es verlassen hatte. Das Bettzeug war nicht gemacht. Bücher lagen aufgeschlagen herum. Schriften lagen herum. Ein Tisch war mit Papieren bedeckt, mit Skizzen, mit Entwürfen, mit halb konzipierten Reden, Eingaben, Beschlüssen, mit angefangenen Aufsätzen, mit liegengelassenen Briefen. Keetenheuves Leben war ein Entwurf. Es war ein Entwurf zu einem

149

wirklichen Leben; aber Keetenheuve konnte sich das wirkliche Leben nicht mehr vorstellen. Er wußte nicht, wie es aussah; und er würde es bestimmt nicht mehr leben. Ein Brief von Elke lag bei den Papieren. Ihr letzter Brief. Elke war die Chance gewesen, die Chance für ein anderes Leben. Vielleicht. Er hatte die Chance verspielt. Vorbei. Blitze. Blitze über ein Grab. Er sah die traurigen immergrünen Gewächse des Friedhofs im Schein fahler Blitze. Er atmete den Geruch der modrig feuchten Buchsbaumhecken, die süße Verwesung der verfaulten Rosen in den Totenkränzen. Die Friedhofsmauer duckte sich im Licht der Blitze. Furcht und Zittern. Kierkegaard. Kindermädchentrost für Intellektuelle. Schweigen. Nacht. *Keetenheuve furchtsamer Nachtvogel Keetenheuve verzweifelter Nachtkauz Keetenheuve gerührter Wanderer durch Gräberavenuen Gesandter in Guatemala Lemuren begleiten ihn*

V

Er erwachte. Er erwachte früh. Er erwachte nach unruhigem Schlaf. Er erwachte im Getto.

Jedes Getto war von unsichtbaren Mauern umzogen und lag zugleich offen da, zur Schau gestellt jedem Überblick und jedem Einblick. Keetenheuve dachte: Getto der Hitler und Himmler, Getto der Verschleppten und Getto der Gejagten, die Mauern, der Wall, die Verbrennungsöfen von Treblinka, der Aufstand der Juden in Warschau, alle Lager des Nachkriegs, jede Baracke, die uns angeht, alle Nissenhütten, alle Bunker, alle Vertriebenen und Geflohenen – die Regierung, das Parlament, die Beamten und der Troß, wir sind ein Fremdkörper im trägen Fleisch unserer Hauptstadt.

Sichtbar waren des Raumes vier Wände, sichtbar Decke, Fenster und Tür des winzigen Zimmers, und zu sehen waren, der Vorhang beiseite, die Jalousie hochgezogen, die Fronten der anderen Gettohäuser, die schnellerrichteten, flachdächigen, weitfenstrigen, stahlgefaßten, hochgetriebenen Baracken. Sie glichen der Wohnstadt eines großen Wanderzirkusses, den Buden einer Ausstellung; sie waren auf Abbruch gebaut. Ein Fräulein Sekretär badete. Das Wasser rauschte in Röhren durch die Wand. Das Fräulein Sekretär wusch sich gründlich, seifte sich ein, spülte sich ab, amtlicher Schmutz löste sich auf, floß über die Brüste, sie senkten sich, leider, floß über den Leib, die Schenkel hinunter, schwamm in den Abfluß, fiel in die Unterwelt, vermählte sich dem Kanalwasser, dem Rheinstrom, dem Meer. Die Spülungen der Klosetts ruckten und liefen. Dreck trennte sich von den Menschen. Ein Lautsprecher krächzte: »Eins, zwei, drei, nach links geneigt, eins, zwei, drei, nach rechts gebeugt.« Ein Narr gymnastizierte. Er hüpfte, man hörte es, ein schwerer Körper, nacktleibig, klatschfüßig über die Dielen. Es war Sedesaum, der Froschmensch. Aus einem zweiten Lautsprecher piepste ein Kinderchor: »Lasset uns singen, tanzen und springen.« Die Stimmen der Kinder klangen gedrillt, sie schienen gelangweilt zu sein, der Gesang war dumm. Die Abgeordnete Frau Pierhelm hörte den Kindern zu. Frau Pierhelm lebte aus der Büchse. Sie bereitete sich einen Kaffee aus der Nesbüchse, mischte ihn mit Büchsenmilch und wartete auf die Sendung *Wir Hausfrauen und der Sicherheitspakt*. Frau Pierhelm hatte vor vierzehn Tagen die Sendung in Köln auf das Tonband gesprochen.

Keetenheuve lag auf dem schmalen Klappbett. Er starrte auf zu der Umrandung des Bettes, einem mit Büchern bedeckten Brett, und er starrte weiter zur niedrigen Zimmerdecke hinauf, in der sich die Rillen im kaum getrockneten Verputz zu verschlungenen Linien vereinten, zu einem verworrenen Wegenetz, der Generalstabskarte eines unbekannten Landes. Frau Pierhelm war nun im Radio zu hören: »Wir Hausfrauen dürfen nicht, wir Hausfrauen müssen, wir Hausfrauen vertrauen.« Was durfte Frau Pierhelm nicht, was mußte sie, wem vertraute sie? In der Generalstabskarte rieselte es. Ein neuer Graben wurde aufgerissen. Frau Pierhelm rief aus Köln: »Ich glaube! Ich glaube!« Frau Pierhelm im Äther glaubte. Keetenheuve auf seinem Klappbett glaubte nicht. Frau Pierhelm, Wand an Wand mit Keetenheuve im Gettohaus, Frau Pierhelm, die Tasse mit der Neskaffee-Büchsenmilchmischung, den Aschbecher mit ihrer Morgenzigarette vor sich, die Abgeordnete Frau Pierhelm, ein Vogel Strauß, steckte den Kopf tief in den Schrankkoffer, wo sie frische Wäsche suchte, wer wusch einem das Hemd, wenn man für des Volkes Zukunft werkte, die Politikerin Frau Pierhelm hörte zufrieden der Rednerin Pierhelm zu, die zu dem Schluß kam, daß der Pakt den deutschen Frauen Sicherheit gebe, ein schöner Slogan, der nur allzusehr an die Anzeige einer Fabrik für intime Tampons erinnerte.

Es war noch früh. Keetenheuve war ein Frühaufsteher, und

fast alle in Bonn waren matinale Geister. Der Kanzler bereitete sich rosenduftumweht und von der Rheinluft gestärkt,
die seine Gegner lähmte, schon auf die Sitzung vor, und
Frost-Forestier hätte sich längst wieder wie eine von starken
Spannungen bewegte Maschine in Gang gesetzt. Keetenheuve dachte: Wird er sich wieder vortasten, was wird er mir
heute anbieten, Kapstadt, Tokio? Aber er wußte, Frost-Forestier würde ihm keine Mission mehr anbieten, und wenn
es Abend war, würden sie ihn hetzen. Keetenheuve war ruhig.
Sein Herz schlug ruhig. Ein wenig bedauerte er, daß ihm Guatemala entgehen sollte. Er dachte mit Bedauern an seinen
Verzicht auf den Tod in der spanisch-kolonialen Veranda.
Guatemala war eine echte Versuchung gewesen. Er war ihr
nicht unterlegen. Er hatte sich entschieden. Er würde kämpfen. Die Radios schwiegen. Man hörte nur das sommerliche
Morgenlied der Hauptstadt: Grasmäher, die ratternd wie
alte Nähmaschinen über den Rasen gezogen wurden.
Sedesaum, der Froschmensch, hüpfte die Treppen hinunter.
Auf jeder Stufe erschütterte sein Aufklatsch das leichtge-
baute Haus. Sedesaum war Berufschrist, Gott möge ihm
verzeihen, und da keine Kapelle in der Nähe war, hüpfte er
allmorgendlich in den Milch- und Brötchenladen, ein Werk
der Demut und der Publicity zu tun, und die Illustrierten
hatten auch schon den volksnahen Volksvertreter *eure Sorgen sind meine Sorgen* mit Milchflasche und Brötchentüte im
Arm ins Bild gebracht, und außerdem war, was er hier un-
ternahm, auch noch eine Tat der Toleranz, der Samariter
unterstützte seinen gestrauchelten Bruder, und im Jenseits
wurde es ihm angerechnet. Sedesaum kaufte sein Frühstück
bei Dörflich ein. Dörflich hatte den einzigen Laden weit und
breit, somit ein Monopol, man mußte bei ihm kaufen, aber
leider war Dörflich auch ein Ärgernis, man konnte ihn mit
einem abtrünnigen Priester vergleichen, er war ein aus seiner Fraktion ausgestoßener Abgeordneter, der aber noch

nicht die parlamentarischen Weihen verloren hatte. Er war in eine anrüchige und zunächst einträgliche Affäre verwickelt gewesen, für die sich leider die Journalisten interessiert hatten, und die dann, durch Dementis und Ehrenerklärungen aufgerührt, nicht mehr zu vertuschen und nicht mehr vorteilhaft gewesen war; man schickte Dörflich als Sündenbock in die Wüste der Fraktionslosigkeit, wo er zum Entsetzen aller Kollegen im Parlamentariergetto das Milchgeschäft eröffnete. Wollte Dörflich sich mit Kuhmilch weißwaschen, indem er spekulierte, daß seine Kunden von ihm sagen würden, er sei ein ehrenwerter Mann, oder wollte er nur den Gewinn aus der einträglichen Anrüchigkeit sicherstellen; wie dem auch sei, »non olet«, bei Dörflich stank merkbar nur der Käse, wenn Keetenheuve auch einen aasigen Geruch, der nicht aus der Käseglocke kam, in Dörflichs Nähe zu spüren meinte. Dabei fand Keetenheuve es vernünftig von Dörflich, sich durch den Milchhandel eine Existenz über die Unsicherheit einer Neuwahl hinaus gesichert zu haben. Er teilte die Entrüstung der Parlamentsgenossen nicht, und er dachte sogar: Wir sollten jeder unser Milchgeschäft haben, damit uns nicht der Brotkorb mit unseren gestorbenen Ideen verheiratet. So belustigte es Keetenheuve, aus dem Fenster des Gettohauses zuzusehen, wie Dörflich die Ware aus seinem Abgeordnetenwagen hob, und Keetenheuve nahm es hin, daß der schwarze und vorläufig fraktionslose Volksvertreter sein Handelsgut wahrscheinlich auf Bundeskosten bewegte. Aber von dieser vielleicht unmoralischen Amüsiertheit abgesehen, mochte Keetenheuve Dörflich nicht, und Dörflich seinerseits haßte *Keetenheuve die Intelligenzbestie.* So wurde Keetenheuve, als er einmal bei Dörflich die Milch probierte, mit Fleiß ein sauer gewordener Trunk kredenzt, und Keetenheuve dachte: Wer weiß, wer weiß, vielleicht sehen wir uns im Vierten Reich wieder, Dörflichs Ministersessel steht schon zwischen den Milch-

kannen verborgen, und mein Todesurteil ist geschrieben.
Keetenheuve blickte zum Fenster hinaus, und er sah die Gegend wie eine photographische Aufnahme, wie die interessante Kameraeinstellung eines Films, ein Stück Rasen war angeschnitten im Bild, und auf dem grünen frischen Teppich stemmte sich ein Mädchen in weißer Dienstschürze, mit weißem Diensthäubchen (ein Mädchen, wie es sie gar nicht mehr gab und wie sie plötzlich Gespenstern gleich in Bonn auftauchten) gegen eine ratternde Grasmähmaschine, und das Keetenheuve gegenüberliegende Gettohaus senkte sich als kühle Fassade aus Beton, Stahl und Glas bis zu Dörflichs Milchladen herab, wo Sedesaum, Milchflasche und Brötchentüte im runden Ärmchen, klein aus dem Schatten der weißblaugestreiften Markise hüpfte, klein, eitel und demütig, klein, fromm und schlau, und so würde er, die Milch und die Brötchen dann im runden Bäuchlein, klein, demütig und eitel, klein, schlau und fromm, in den Plenarsaal hüpfen, ein Jasager, ein Sänger des Herrn, und der Herr brauchte nicht unbedingt als der Herr Zebaoth über dem Sternenzelt zu wohnen, Sedesaum fand immer die Formel, irdischen und himmlischen Herrendienst vor seinem Gewissen und vor der Welt in Einklang und Wohlklang zu bringen, und jetzt folgte ihm, der über den Platz hüpfte, sein rechter Fuß klatschte eitel, der linke klatschte demütig auf, folgte ihm Dörflich aus dem Schatten der Markise, der für heute sein Milchgeschäft seinem ihm ehelich angetrauten Weibe überließ und sich im blauen Anzug und mit der gestärkten Hemdbrust betont altväterlicher Ehrbarkeit in den von Milchkannen und Brotkörben befreiten Abgeordnetenwagen setzte, um ins Parlament zu fahren und dort sein Mandat auszuüben. Keetenheuve bereitete der Anblick Unbehagen. Es war nicht vorauszusagen, wie Dörflich stimmen würde. Gern marschierte er mit den stärkeren Bataillonen, aber seit er fraktionslos geworden war, redete er lieber zum Fenster

155

hinaus, phrasierte, um Anhänger zu gewinnen, vor den Unzufriedenen im Lande, fischte im trüben, und so war zu fürchten, daß er diesmal mit der Opposition stimmen würde, wenn auch aus unklaren und eigensüchtigen Motiven. Keetenheuve schämte sich eines solchen nach altem Nazismus riechenden und neuem Nazitum zustrebenden Verbündeten (noch hatte sich der Wind nicht recht erhoben), wie überhaupt die Zufallsfronten, die sich ergaben, die Gemeinschaft mit den Sturen, den Verstimmten, den Diktatorialen, den bestenfalls Mediokren, die irgendein Sektenwahn oppositionell und sanft gestimmt hatte, Keetenheuve ärgerten, ihn behinderten und ihn schließlich an seiner Sache zweifeln ließen. Erst als er Frau Pierhelm und Sedesaum gemeinsam – er hüpfte, und sie ging erhobenen Hauptes, entschlossenen Schrittes – das Haus verlassen sah, arme Ritter der alten Union der festen Hand, die kleinen Gefolgsleute der braven staaterhaltenden Gesinnung und des montanunionistisch eifersüchtigen Klüngels (nicht, daß sie Kuxen besaßen, aber sie wußten doch, wo Bartel den Most holt, wo das Quellein rieselte, wo es in den Wahltopf pinkelte, aber nicht, daß sie sich verkauften, weiß Gott nicht, die Richtung lag ihnen eben, sie hatten es noch in der Schule vernommen, und dabei waren sie stehengeblieben, einfältige Klippschüler der Politik und eitel auf des Herrn Lehrers Gruß), da fühlte sich Keetenheuve wieder berufen, ihnen entgegenzutreten und ihnen, die wieder Leithammel ins Schlachthaus sein wollten, Bremsen ins Fell zu setzen. Aber der Leithammel, drum ist er's ja, geht unbeirrt seines Weges, und die Herde, es ist ja ihr Wesen, folgt, von jedem Warnruf nur noch zusätzlich erschreckt, ängstlich dem Vortier ins Unglück. Der Hirte aber hat seine eigenen Gedanken über die Bestimmung der Schafe. Er verläßt unabgestochen das Schlachthaus und schreibt fern von der Blutstätte die »Erinnerungen eines Schäfers«, anderen Hirten zu Nutz und Frommen.

Das Parlament war an diesem Tag durch Polizei abgeriegelt, und die Truppe zeigte die hysterische Einsatzbereitschaft jeder gedrillten Mannschaft, der man auf dem Übungsplatz das Gespenstersehen beigebracht hat, und sie besetzten und umzirkelten das Haus des Volkes mit Waffen, Wasserwerfern und Spanischen Reitern, als ob die Hauptstadt und das Land sich gegen den Bundestag erheben wolle (und dann wäre er abgesetzt), während Keetenheuve, der sich immer wieder aufs neue ausweisen mußte, den Eindruck hatte, daß außer wenigen Neugierigen und Schausüchtigen nur ein paar billig Hergefahrene, ein paar preiswert Verfrachtete, arme Claqueure mit Rufen demonstrierten, die erst durch den massiven Einsatz ihrer polizeilichen Bekämpfer überhaupt Bedeutung gewannen. Sie schrien, daß sie ihre Abgeordneten sprechen wollten, und Keetenheuve dachte: Das ist doch ihr gutes Recht, warum läßt man sie nicht mit ihren Abgeordneten sprechen? Er wäre bereit gewesen, mit den Schreiern zu sprechen; aber es war fraglich, ob sie ihn meinten, ob sie ihn sprechen wollten. *Keetenheuve Mann des Volkes kein Mann des Volkes.* Die eigentlich dürftige Demonstration war traurig, weil sie etwas von der dumpfen Schicksalsergebenheit des wirklichen Volkes zeigte, das aus einem Gefühl, es kommt doch alles wie es kommen soll, wir können da doch nichts machen, Gesetze und Entscheidungen, die es wohl ablehnte, nicht verhinderte, es nicht einmal versuchte, sondern bereit war, die Folgen zu tragen; – die Würfel waren dann eben wieder einmal gefallen. So erinnerte die Szene vor dem Parlament an die Premiere eines Filmes, eine nicht zu große Menge dummer und schaulustiger Leute, die gerade Zeit haben, hat sich vor dem Lichtspielhaus eingefunden und wartet auf die bekannten Gesichter der Stars. Man raunt, da kommt der Albers, und ein Kritiker, der den Film kennt, möchte den Gassenjungen recht geben, die pfeifen; doch die Bengel flöten ja gar nicht, weil auch sie das Licht-

157

spiel schlecht finden, sie pfeifen, weil das Gellen ihres Pfiffes sie freut, und die strenge Meinung des Kritikers bliebe ihnen unverständlich und wäre ihnen sogar zuwider. Keetenheuve wußte, während er sich dem Bundeshaus näherte, wie verworren und fragwürdig sein Auftrag war. Aber welches System war besser als das parlamentarische? Keetenheuve sah keinen anderen Weg; und die Schreier, die das Parlament überhaupt abschaffen wollten, waren auch seine Feinde. *Quasselbude schließen. Genügt Leutnant mit zehn Mann. Und der Hauptmann von Köpenick.* Gerade darum schämte sich Keetenheuve des Schauspiels, das er sah. Der Präsident des Bundestages ließ sein Haus durch Polizisten bewachen, während jedes echte Parlament bestrebt sein sollte, die bewaffneten Organe der Exekutive seinem Domizil möglichst fernzuhalten, und in den guten Urzeiten der parlamentarischen Idee hätten sich die Abgeordneten geweigert, unter Polizeischutz zu tagen, denn das Parlament war damals, wie es auch zusammengesetzt sein mochte, polizeifeindlich, weil es die Opposition an sich war, die Opposition gegen die Krone, die Opposition gegen der Mächtigen Willkür, die Opposition gegen die Regierung, die Opposition gegen die Exekutive und ihren Säbel, und so bedeutete es eine Pervertierung und Schwächung der Volksvertretung, wenn aus ihrer Mitte die Mehrheit zur Regierung wird und die vollziehende Gewalt an sich reißt. Was heißt dies bei unglücklicher Zusammensetzung des Hauses anderes als Diktatur auf Zeit? Die Mehrheit exekutiert ihre Gegner nicht; aber sie ist doch ein kleiner Tyrann, und während sie herrscht, ist die Minderheit ein für allemal geschlagen und zu einer eigentlich sinnlosen Opposition verdammt. Die Fronten standen fest, und leider war es undenkbar, daß ein Redner der oppositionellen Minderheit die regierende Mehrheit überzeugen konnte, daß er einmal recht und sie unrecht habe. Aus der Opposition den Kurs der Regierung zu ändern, gelänge in

Bonn selbst Demosthenes nicht; und auch wenn man mit einen Engels Zunge spräche, man predigte tauben Ohren, und Keetenheuve wußte, während er die letzte Sperrkette passierte, daß es genau besehen zwecklos war, daß er hier erschien, um im Plenum zu reden. Er würde nichts ändern. Er hätte ebensogut im Bett bleiben und träumen können. Und so näherte sich der Abgeordnete nicht hochgemut, sondern niedergestimmt dem Quartier seiner Fraktion: *Napoleon der am Morgen der Schlacht weiß wie Waterloo enden wird*
Im Zimmer der Fraktion warteten sie auf ihn; Heineweg und Bierbohm und die anderen Routiniers der Ausschüsse, die Verfahrenshasen, die Geschäftsordnungshengste blickten schon wieder vorwurfsvoll auf Keetenheuve. Knurrewahn hielt Heerschau über die Seinen, und sieh', es fehlte unentschuldigt kein teures Haupt. Sie waren aus der Provinz zur Sitzung gereist, die Luft der Provinz hing in ihren Kleidern, sie brachten sie mit in den Saal, eine dumpfe Luft aus engen Kammern, in denen sie aber anscheinend abgekapselt hausten, denn auch sie vertraten nicht unmittelbar das Volk, dachten nicht mehr wie das Volk, auch sie waren – kleine, ganz kleine – Präzeptoren des Volkes, nicht gerade Lehrer, aber doch Respekts- oder Unrespektspersonen, vor denen die Leute das Maul hielten. Und sie wieder, seine Heerscharen, hielten den Mund vor Knurrewahn, der zuweilen fühlte, daß hier etwas nicht stimme. Er betrachtete seine schweigende Garde, Rundköpfe und Langschädel, brave Kerle, auf die er sich verlassen konnte. Treugebliebene aus der Zeit der Verfolgung, aber alle Befehlsempfänger, eine Mannschaft, die vor dem Feldwebel strammstand, und Knurrewahn, der nun oben saß, als Volksmann, gewiß, aber doch oben im Kreis der Kopfgötter, regierungsnah und einflußreich, Knurrewahn lauschte vergeblich nach einem Sehnsuchtswort von unten, nach einem Freiheitsschrei, nach einem Herzschlag, der aus der Tiefe kam, keine unverbrauchte

Kraft, kaum in die Disziplin zu bannen, regte sich, kein ungebärdiger Wille zur Erneuerung, kein Mut zum Sturz der alten toten Werte war zu spüren, seine Sendboten brachten kein Echo der Straßen und Plätze, der Fabriken und der Hütten mit, sie waren es im Gegenteil, die auf Weisungen lauschten, auf Richtungszeichen von der Spitze, auf Befehle von Knurrewahn, sie förderten die Parteibürokratie der Zentrale und waren nichts als Außenposten dieser Bürokratie, und hier lag die Wurzel des Übels, sie würden zurück in ihre Provinzorte reisen und dort verkünden, Knurrewahn will, daß wir uns so oder so verhalten, Knurrewahn und die Partei wünschen, Knurrewahn und die Partei befehlen, statt daß es umgekehrt gewesen wäre, statt daß die Provinzboten zu Knurrewahn gesagt hätten, das Volk wünscht, das Volk will nicht, das Volk trägt dir auf, Knurrewahn, das Volk erwartet von dir, Knurrewahn – Nichts. Vielleicht wußte das Volk, was es will. Aber seine Vertreter wußten es nicht, und so taten sie so, als ob wenigstens ein starker Parteiwille da sei. Aber wo kam er her? Aus den Büros. Er war impotent. Von den Samensträngen der Volkskraft war der Parteiwille abgeschnitten, die Kraftstränge verliefen im Unsichtbaren, und einmal mußte es irgendwo im Volksbett Pollutionen und Befruchtungen geben, die unerwünscht waren. Die Parteileitung kannte ihre Mitglieder nur als Beitragszahler und, seltener, als Befehlsempfänger. Da funktionierte die Maschine reibungslos. Und wenn Knurrewahn die Auflösung der Partei befohlen hätte, die Ortsgruppen würden die Auflösung vollziehen, wenn Knurrewahn die Selbstentleibung als Opfer an die Nation anordnete – die Partei hatte schon seit neunzehnhundertvierzehn ein nationales Herzleiden. Wenige sprangen aus der Reihe (und machten sich dadurch verdächtig). Da war Maurice, der Advokat, und da war Pius König, der Journalist, Knurrewahn brauchte sie, aber eigentlich bereiteten sie ihm Unbehagen, und Keetenheuve

160

machte ihm wirklichen Kummer. Er nahm Keetenheuve am Arm, führte ihn an ein Fenster und beschwor ihn, in der Debatte nicht zu heftig zu werden, die nationalen Instinkte (Gab es sie? Waren sie nicht Komplexe, Neurosen, Idiosynkrasien?) nicht zu brüskieren, und er erinnerte ihn, daß die Partei nicht bedingungslos und grundsätzlich gegen jede Bewaffnung sei und daß sie nur die jetzt zur Diskussion stehende Form der neuen Rüstung ablehne. Keetenheuve kannte die Weise. Sie stimmte ihn traurig. Er war allein. Er kämpfte allein gegen den Tod. Er kämpfte allein gegen die älteste Sünde, das älteste Übel der Menschheit, gegen die Urtorheit, den Urwahn, daß durch das Schwert das Recht verfochten, daß durch Gewalt irgend etwas gebessert werden könne. Die Sage von Pandora und ihrer Büchse ist ein Gleichnis für das Übel, das aus Weibshörigkeit stammt, aber Keetenheuve hätte dem alten Knurrewahn gern eine Büchse des Mars beschrieben, aus der, wenn man sie öffnete, alle Weltübel, die nur auszudenken waren, breit, kräftig und allwegs vernichtend strömten. Aber Knurrewahn wußte es ja, auch er kannte die Gefahren, aber er meinte (er litt mit seinem Steckschuß besonders an der nationalen Herzkrankheit seiner Partei), das Heer in der Hand der demokratischen Staatsmacht behalten zu können, obwohl Noske das Heer aus dieser demokratischen Hand schon einmal kläglich verloren hatte.

Keetenheuve wurde zum Telephon gerufen, er sprach aus einer Zelle, und er hörte das Zwitschern der geschäftigen Schwatzhelferinnen Frost-Forestiers, bis Frost-Forestier *Magnus* selbst aus der Hörmuschel säuselte und Keetenheuve verkündete, Guatemala würde ihm bewilligt werden, das gehe glatt, was auch geschehen möge; und Keetenheuve, etwas verwundert zwar, hatte deutlich das Empfinden, daß Mephisto am anderen Ende des Drahtes sei, wenn auch ein entlarvter Teufel, von dem man plötzlich wußte, daß er zur

Schmiere gehöre. Er wünschte sich einen Moment, um sich konzentrieren zu können, um alles noch einmal zu bedenken, und er mußte weit denken, er mußte bis an die Saar denken und bis zur Oder, er mußte sich an Paris erinnern, an Grünberg in Schlesien und an Ortelsburg in Masuren, er hatte an Amerika und an Rußland zu denken, an gleich-ungleiche Brüder, Korea, China und Japan, Persien und Israel und die muselmanischen Staaten waren zu betrachten, und vielleicht war Indien das Morgenland, aus dem das Heil kam, die dritte Macht, ausgleichend und versöhnend, und wie klein war das Vaterland, in dem er lebte, das winzige Pult, auf dem er sprechen würde, während Überschallflugzeuge von Kontinent zu Kontinent rasten, Atomgranaten zur Erprobung des großen Sterbens über Wüsten flogen und Todespilze, den zartesten Gehirnen entreift, über einsamen Atollen aufblühten. Da aber trat Maurice, der Advokat, zu Keetenheuve und gab ihm Mergentheims Blatt zu lesen und meinte gutgläubig und advokatisch, daraus könne Keetenheuve doch was für seine Rede gewinnen. Keetenheuve hielt Mergentheims Zeitung in der Hand, und wirklich, er mußte seine Rede umwerfen. Er sah, daß seine Waffe ihm entwunden, daß sein Dynamit stumpf geworden war. Mergentheim brachte in großer Aufmachung einen Bericht über das Interview der Generale aus dem Conseil Supérieur des Forces Armées, und er knüpfte, der Mutige, der mutige Ballzuwerfer, an die Nachricht einen Kommentar, daß man mit Generalen von solcher Siegergesinnung keine deutsch-alliierte Armee aufbauen könne. Ja, Keetenheuves Pulver war naß geworden! Sie hatten die Pressekorrespondenz, die Dana ihm gegeben hatte, in die Hand bekommen, und da nur ein Exemplar dieser im Bund wenig gelesenen Agenturausgabe in Bonn gewesen war, mußten sie's sich von ihm geholt haben, den Schatten natürlich nur, sie hatten's photographiert und waren ihm so zuvorgekommen, und Frost-Foresters neuer Anruf wegen der spanisch-kolonialen Sterbeveranda in Guatemala war also das freundliche Gnadenbrot, das man selbst noch dem zahnlosen Köter gewähren wollte. Was sich ereignet hatte, war Keetenheuve klar, und was sein würde, war ihm nicht weniger deutlich. Der Kanzler, wahrscheinlich in die Intrige gar nicht eingeweiht und für eine Weile auf Mergentheim erbost, würde heftig auf den Artikel reagieren, er würde die Versicherungen der französischen und der englischen Regierung haben, daß die Äußerungen der Generale bedauerlich und zu dementieren und daß die angestrebte Militärvereinigung ihrem Wesen nach herzlich und von Dauer sei.

Man läutete zur Sitzung. Sie strömten in den Plenarsaal, Schafe zur Linken und Schafe zur Rechten, und die schwarzen Schafe saßen ganz rechts und ganz links, aber sie schämten sich nicht, sie krakeelten. Keetenheuve konnte von seinem Platz aus den Rhein nicht strömen sehen. Aber er dachte sich sein Strömen, er wußte ihn hinter dem großen Fenster, dem pädagogisch-akademischen, und er wähnte ihn völkerverbindend, nicht völkerscheidend, er sah das Wasser wie einen freundlichen Arm sich um die Länder legen, und das Wagalaweia klang nun wie Zukunftsmusik, ein Abendlied, ein Wiegenlied im Frieden.

Der Präsident war ein Schwergewicht, und da er der Partei der guten Sache angehörte, gab er auch ihr gleich Gewicht. Sein Glöcklein läutete. Die Sitzung war eröffnet.

Spannung liegt über der Fußballarena in Köln. Der Erste Fußballclub Kaiserslautern spielt gegen den Ersten Fußballclub Köln. Es ist belanglos, wer siegt; aber zwanzigtausend Zuschauer beben. Spannung liegt über dem Spielfeld in Dortmund. Der Verein Borussia Dortmund spielt gegen den Hamburger Sportverein. Es ist völlig gleichgültig, wer siegt; niemand wird deshalb hungern, weil Hamburg gewinnt, niemand wird entsetzlich sterben, weil Borussia mehr Tore schießt; aber zwanzigtausend Zuschauer beben. Das Spiel im Plenarsaal erreicht jedermanns Brot, es kann jedermanns Tod sein, es kann diese Unfreiheit und jene Sklaverei mit sich bringen, dein Haus kann einstürzen, deinem Sohn können die Beine weggeschossen werden, dein Vater muß nach Sibirien, deine Tochter gibt sich drei Männern für eine Fleischbüchse, die sie mit dir teilt, du schlingst sie hinab, du hebst Kippen auf, die einer in den Rinnstein spuckte, oder du verdienst an der Aufrüstung, du wirst reich, weil du den Tod ausstattest (Wieviel Unterhosen braucht eine Armee? Errechne den Profit bei der Annahme eines Gewinnes von vierzig Prozent, denn du bist bescheiden), und die Bomben, die Kugeln, die Verstümmelung, der Tod, die Verschleppung erreichen dich erst in Madrid, du bist noch in deinem neuen Wagen hingekommen, du hast noch einmal bei Horcher gegessen, du hast dich vor dem amerikanischen Konsulat angestellt, vielleicht erreichst du noch Lissabon, wo die Schiffe liegen, aber die Schiffe nehmen dich nicht mit, die Flugzeuge erheben sich ohne dich über den Atlantik, lohnt es sich? Nein, es ist nicht zu schwarz gesehen; aber im Plenarsaal zittert die Spannung nicht, keine Tausend sind bewegt. Mit Recht breitet sich Langeweile aus. Die siebenmal gesiebten Zuschauer sind enttäuscht von dem Spiel. Die Journalisten kritzeln Männchen auf ihr Papier; die Reden bekommen sie im Klischee, und das Ergebnis der Abstimmung steht fest. Man kennt das Torverhältnis zwischen den Gegnern, und niemand wettet auf den Verlierer. Keetenheuve dachte: Warum die Umstände, wir könnten das klägliche Resultat auch ohne jede Rede in fünf Minuten erfahren, der Kanzler brauchte nicht zu sprechen, wir könnten uns die Widerrede und sie sich die Verteidigung schenken, und unser gewichtiger Präsident hätte nur zu sagen, er meine, daß unser Spiel acht zu sechs enden werde, und wer's nicht glauben will, der kann die Hammel ja noch einmal zählen.

Dort war die Tür zum Sprung. Da standen die Mädchen mit den Stimmzettelladen. Ach, und schon gähnte einer der Volksvertreter. Ach, und schon schlummerte einer. Ach, und schon schrieb einer nach Hause: Vergiß auch nicht, bei Unhold anzurufen, daß er die Spülung mal nachsieht, sie tropft immer in der letzten Zeit

Heineweg stellte einen Antrag zur Geschäftsordnung. Eine zänkische, zähe Debatte entwickelte sich, und der Antrag wurde, wie vorauszusehen gewesen, niedergestimmt.

Auf der Tribüne flammten die Scheinwerfer der Wochenschauen auf, die Fernrohrobjektive der Kameras richteten sich auf den Weltstar des Hauses, der in geübter lässiger Haltung das Rednerpult bestieg. Der Kanzler trug sein Anliegen vor. Er war lustlos gestimmt und verzichtete auf Effekte. Er war kein Diktator, aber er war der Chef, der alles vorbereitet, alles veranlaßt hatte, und er verachtete das oratorische Theater, in dem er mitspielen mußte. Er sprach müde und sicher wie ein Schauspieler auf der wegen einer Umbesetzung notwendig gewordenen Durchsprechprobe eines oft gegebenen Repertoirestückes. Der Kanzler-Schauspieler wirkte auch als Regisseur. Er wies den Mitspielern ihre Plätze an. Er war überlegen. Keetenheuve hielt ihn zwar für einen kalten und begabten Rechner, dem nach Jahren ärgerlicher Pensionierung überraschend die Chance zugefallen war, als großer Mann in die Geschichte einzugehen, als Retter des Vaterlandes zu gelten, aber Keetenheuve bewunderte auch die Leistung, die Kraft, mit der ein alter Mann einen einmal gefaßten Plan beharrlich und euphorisch zuversichtlich verfolgte. Sah er nicht, daß sein ganzes Vorhaben am Ende nicht an seinen Widersachern, doch an seinen Freunden scheitern würde? Keetenheuve stritt dem Kanzler nicht den Glauben ab. Es war sein Weltbild, das er verkündete, für ihn brannte die Welt, und er ließ Feuerwehren herbeirufen und Feuerwehren gründen, um den Brand einzudämmen und zu bekämpfen. Aber der Kanzler, fand Keetenheuve, verlor den Überblick, er litt, fand Keetenheuve, an der deutschen Krankheit, unter keinen Umständen von einer einmal gehabten Vorstellung von der Welt zu lassen, und so bemerkte er nicht, fand Keetenheuve, daß von anderen Standorten aus andere Staatsmänner die Welt an anderen Plätzen von anderen Bränden heimgesucht sahen und daß auch sie Feuerwehren herbeiriefen und Löschtrupps ausrüsteten, den Brand einzudämmen und zu bekämpfen. So war die Aussicht groß, daß die verschieden orientierten Feuerwehrmänner beim Löschen einander im Wege stehen und sich schließlich prügeln würden. Keetenheuve dachte: Laßt uns überhaupt keine Weltfeuerwehren aufstellen, laßt uns ausrufen »die Welt brennt nicht«, und laßt uns zusammenkommen und uns unsere Alpdrücke erzählen, laßt uns bekennen, daß wir alle Feuersbrünste sehen, und wir werden die eigene Angst an der Angst der anderen als Wahn erkennen und zukünftig besser träumen. Er wollte von Paradiesen irdischen Glückes träumen, von einer Welt des Überflusses, von einer Erde der bezwungenen Mühe, von einem Reich Utopia ohne Krieg und Not, und er vergaß für eine Weile, daß auch diese Welt vom Himmel verstoßen, unwissend, antwortlos durch das schwarze All treiben würde, wo hinter den nahen trügenden Sternen vielleicht die großen Ungeheuer wohnen.

Niemand außer Korodin schien dem Kanzler zuzuhören, und Korodin lauschte, ob Gott aus dem Staatsführer spräche; aber Korodin hörte Gottes Stimme nicht, statt dessen hatte er zuweilen das irritierende Empfinden, seinen Bankier sprechen zu hören. Heineweg und Bierbohm wagten manchmal einen Zwischenruf. Jetzt riefen sie: »Bestellte Arbeit!« Sie erschreckten Keetenheuve, denn es kam ihm widersinnig vor, was sie da riefen. Erst dann merkte er, daß der Kanzler Mergentheims Arbeit über die Generale des

Conseil Supérieur zitierte und den Artikel perfide nannte. Armer Mergentheim! Er würde es hinnehmen. Die Ehrenerklärungen lagen sicher auf dem Rednerpult, und richtig, da wurden sie schon verlesen, die Dementis aus Paris und London, die Treuebotschaften, die Freundesworte, die Bruderschaftsbeteuerungen und bald die Waffenbrüderschaft. Man hatte die Ernennung zum Festlandsdegen so gut wie in der Tasche, und nun konnte man sich rüsten, den Helm aufzusetzen, den Helm, den der Bürger verehrt, den Helm, der zeigt, wer regiert, den Helm, der dem antlitzlosen Staat das Gesicht gibt, und nur in den rechtsradikalen Brüsten saß noch neidisch und tückisch der Wurm vom Erbfeind, und sie dachten an Landsberg, an die Gefängnisse von Werl und Spandau, sie riefen »wir wollen unsere Generale wiederhaben« (und der große Butt hob sich aus dem Wasser und antwortete: Geht nur nach Hause, ihr habt sie schon); und in Knurrewahns Brust brannte der Steckschuß, und Knurrewahn war voll Mißtrauen und Sorge.

Keetenheuve sprach. Auch er stand im Licht der Wochenschauen, auch er würde im Kino zu sehen sein. *Keetenheuve Held der Leinwand*. Er sprach erst im bedächtigen, sorgenden Sinn Knurrewahns. Er erwähnte die Bedenken und Befürchtungen seiner Partei, er warnte vor weitgehenden Verpflichtungen, die unabsehbar seien, er lenkte den Blick der Welt auf das geteilte Deutschland, auf die zwei kranken Zonen, die wieder zusammenzuführen die erste deutsche Aufgabe ist, und während er sprach, hatte er das Gefühl: Es ist zwecklos, wer hört mir zu, wer soll mir auch zuhören, sie wissen, daß ich dies sage und daß ich jenes sagen muß, sie kennen meine Argumente, und sie wissen, daß auch ich kein Rezept habe, nach dem der Patient morgen gesund wird, und so glauben sie weiter an ihre Therapie, mit der sie wenigstens die Hälfte zu retten meinen, die sie für gesund und lebensfähig halten, und zufällig strömt dort der Rhein, zufällig fließt dort die Ruhr, und zufällig erheben sich da die Essen des Reviers.

Der Kanzler hielt den Kopf in die Hand gestützt. Er saß unbeweglich. Hörte er Keetenheuve zu? Man wußte es nicht. Hörte ihm irgend jemand zu? Man konnte es nicht wissen. Frau Pierhelm schleuderte wieder ihren Werbespruch gegen das Rednerpult *Sicherheit für alle Frauen*; aber auch Frau Pierhelm hatte nicht zugehört. Knurrewahn hatte das Haupt zurückgelehnt, mit seinen Bürstenhaaren sah er wie Hindenburg aus oder wie ein Schauspieler, der einen alten General spielt; das Jahrhundert artete seinen Filmschauspielern nach, und selbst ein Bergarbeiter sah schon wie ein Kumpel aus, der dargestellt wird, und Keetenheuve konnte nicht sehen, ob Knurrewahn schlief, ob er nachdachte oder ob es ihm angenehm schmeichelte, seine eigenen Gedanken aus Keetenheuves Mund zu vernehmen. Nur einer hörte Keetenheuve wirklich zu, Korodin; aber Keetenheuve sah Korodin nicht, der wider Willen gefesselt war und wieder daran glaubte, daß der Abgeordnete Keetenheuve vor einer Wandlung stand, die ihn in Gottes Nähe bringen mußte.

Keetenheuve wollte schweigen. Er wollte abtreten. Es hatte keinen Sinn, weiterzureden, wenn ihm niemand zuhörte; es war zwecklos, Worte von sich zu geben, wenn man nicht überzeugt war, einen Weg weisen zu können. Keetenheuve wollte den Weg des Raubtieres verlassen und den Pfad des Lammes gehen. Er wollte die Friedfertigen führen. Wer aber war friedfertig und bereit, ihm zu folgen? Und weiter gedacht, wenn sich alle friedfertig um Keetenheuve scharten, so würden sie zwar nicht auf ein Schlachtfeld geraten, aber es blieb fraglich, ob sie der Schädelstätte entgehen konnten. Zweifellos war es moralisch besser, ermordet zu werden, als in der Schlacht zu fallen, und die Bereitschaft, nicht kämpfend zu sterben, war die einzige Möglichkeit, das Gesicht der Welt zu ändern. Aber wer war bereit, auf das gefährliche, schwindeln machende Hochseil solcher Ethik zu klettern? Sie blieben am Boden, ließen sich eine verdammte Waffe in die Hand drücken und starben verflucht und aufgerissenen Bauches, genauso dumm wie ihre Gegner. Und wenn der entsetzliche Kriegstod, so dachte Keetenheuve, der Wille Gottes war, dann sollte man dem grausamen Gott nicht die Hilfestellung und Tarnung des Kampfes leisten, dann sollte man sich aufrecht und waffenlos ins Feld stellen und schreien: Zeige dein furchtbares Antlitz, zeige es nackt, schlage, morde, wie es dir gefällt, und schiebe die Schuld nicht auf den Menschen. Und da Keetenheuve in die unaufmerksame, in die gelangweilte, die ungerührte Runde blickte, da er den Kanzler wieder sah, gelangweilt, starr, aufgestützten Hauptes, da rief er ihm zu: »Sie wollen das Heer schaffen, Herr Kanzler, Sie wollen bündnisfähig werden, aber welche Bündnisse wird Ihr General schließen? Welche Verträge wird Ihr General brechen? In welcher Richtung wird Ihr General marschieren? Unter welcher Fahne wird Ihr General kämpfen? Kennen Sie das Tuch, Herr Kanzler, wissen Sie die Richtung? Sie wünschen das Heer. Ihre Minister wollen Paraden. Ihre Minister wollen am Sonntag bramarbasieren, wollen ihren *Männern wieder ins Auge sehen*. Schön. Lassen Sie die Dummköpfe, innerlich verachten Sie sie, aber wie ist es mit Ihrem Traum, Herr Kanzler, auf einer Lafette beerdigt zu werden? Sie werden auf einer Lafette beerdigt werden, aber Ihrem Ehrensarg werden Millionen Leichen folgen, die nicht einmal mehr billigstes Tannenholz deckt, die verbrennen, wo sie gerade stehen, die dort von der Erde begraben werden, wo die Erde aufreißt. Werden Sie alt, Herr Kanzler, werden Sie uralt, werden Sie Ehrenprofessor und Ehrensenator und Ehrenrektor aller Universitäten. Fahren Sie mit allen Ehren auf einem Rosenwagen zum Friedhof, aber meiden Sie die Lafette – das ist keine Ehrung für einen so klugen, für einen

so bedeutenden, für einen genialen Mann!« Hatte Keetenheuve die Worte wirklich gerufen, oder hatte er sie wieder
nur gedacht? Der Kanzler stützte weiterhin ruhig den Kopf
in die Hand. Er sah abgespannt aus. Er sah nicht unnach-
denklich aus. Der Saal tuschelte. Der Präsident blickte gelangweilt auf seinen Bauch. Die Stenographen hielten gelangweilt ihre Schreibgeräte bereit. Keetenheuve trat ab. Er
war in Schweiß gebadet. Seine Fraktion klatschte obligato-
risch. Von ganz links gellte ein Pfiff.
Frau Pierhelm stieg aufs Pult: Sicherheit, Sicherheit, Sicherheit. Sedesaum hüpfte aufs Pult, er war kaum zu sehen:
Christ und Vaterland, Christ und Vaterland, Christ und Vaterland. Christ und Welt? Dörflich bemächtigte sich des
Parlaments und des Mikrophons: Grundsätzliche Gegner-
schaft, deutsche Grundsatztreue, Feind bleibt Feind, Ehre
bleibt Ehre, Kriegsverbrechen nur auf Feindseite, Ehrener-
klärung dringend notwendig. Hieß Dörflich wirklich Dörflich? Man konnte meinen, er heiße Bormann; kein Wunder,
daß die Milch bei ihm sauer wurde. Eine Weile tat der Kanzler Keetenheuve leid. Noch immer saß er in unbewegter
Haltung, den Kopf in die Hand gestützt. Maurice meldete
staatsrechtliche Bedenken an. Korodin sollte noch reden. Er
würde das christliche Abendland ins Feld führen, die alte
Kultur verteidigen und von Europa schwärmen. Auch
Knurrewahn würde noch kurz vor der Abstimmung sprechen. Keetenheuve ging in das Restaurant. Der Plenarsaal
mußte sich sehr geleert haben. Es waren mehr Abgeordnete
im Restaurant als im Plenum. Keetenheuve sah Frost-Forestier, aber er wich ihm aus. Er wich Guatemala aus. Er wollte
kein Almosen. Keetenheuve sah Mergentheim. Mergentheim erholte sich bei einem Kaffee von Rundfunkdurchsa-
gen. Er hielt Cercle. Man gratulierte ihm, daß er dem Kanzler aufgefallen war. Keetenheuve wich ihm aus. Er wollte
keine Erinnerungen. Er wünschte keine Erklärungen. Er

ging auf die Terrasse hinaus. Er setzte sich unter einen der bunten Sonnenschirme. Er saß wie unter einem Pilz. *Ein Männlein steht im Walde ganz still und stumm.* Er bestellte ein Glas Wein. Der Wein war dünn und gezuckert. Es war ein kleines Glas. Keetenheuve bestellte eine Flasche. Er bestellte sie in Eis. Man würde es bemerken. Man würde sagen: Der Bonze trinkt Wein. Nun gut, er trank öffentlich Wein. Es war ihm gleichgültig. Heineweg und Bierbohm würde der Anblick entsetzen. Es war Keetenheuve gleichgültig. Der Eiskübel würde Knurrewahn kränken. Es war Keetenheuve nicht gleichgültig, aber er schenkte sich ein. Er trank den kalten herben Trank in gierigen Schlucken. Vor ihm lagen Blumenbeete. Vor ihm lagen Kieswege. Vor ihm lag ein an einen Hydranten angeschlossener Feuerwehrschlauch. An der Ecke standen Polizisten mit Hunden. Die Hunde sahen wie ängstliche Polizisten aus. Bei der Senkgrube stand ein Einsatzwagen der Polizei. Der Wagen stand im Gestank. Keetenheuve trank. Er dachte: Ich bin gut bewacht. Er dachte: Ich habe es weit gebracht.

Er dachte an Musäus. Musäus, der Butler des Präsidenten, Musäus, der sich für den Präsidenten hielt, stand auf der rosenumrankten Terrasse des Präsidentenpalais, und auch er sah die Polizisten, die ihre Absperriegel bis zu ihm vorgeschoben hatten, er sah die Polizeiwagen fahren, er sah die Hundegänger bis zu ihm vordringen, und er sah Polizeiboote über den Strom brausen. Da dachte Musäus, daß er, der Präsident, gefangen sei, und die Polizei ließ dichte undurchdringliche Rosenhecken um das Palais wachsen, sie wuchsen, mit Dornen, Selbstschüssen, Fußangeln und Polizeihunden besetzt, hoch um den Präsidentensitz auf, der Präsident konnte nicht entweichen, konnte nicht zum Volk fliehen, und das Volk konnte nicht zum Präsidenten kommen. Das Volk fragte, was macht der Präsident? Das Volk erkundigte sich, was sagt der Präsident? Und man meldete dem Volk: Der Präsident ist alt, der Präsident schläft, der Präsident unterschreibt die Verträge, die der Kanzler ihm vorlegt. Und man sagte dem Volk auch, der Präsident sei sehr zufrieden, und man zeigte dem Volk Bilder des Präsidenten, auf denen der Präsident zufrieden im Präsidentenstuhl saß, und in seiner Hand verglühte weiß und vornehm eine dicke schwarze Zigarre. Aber Musäus wußte, daß er, der Präsident, unruhig war, daß ihm das Herz unruhig schlug, daß er traurig war, daß irgend etwas nicht stimmte, vielleicht die Verträge nicht, vielleicht die Rosenhecken nicht, vielleicht die Polizei mit ihren Wagen und ihren Hunden nicht, und dann wurde Musäus, der Präsident, mißgestimmt, er mochte auf einmal die Landschaft nicht mehr, die still wie ein schönes altes Bild vor seinem Blick lag, nein, Musäus, der gute Präsident, er war zu traurig, um sich länger des Landes zu freuen, er stieg in die Küche hinab, er aß ein Ripple, er trank ein Fläschchen, er mußte es tun – aus Kummer, aus Schwermut, aus Traurigkeit und großer Herzbedrückung.

Keetenheuve ging zurück in den Plenarsaal. Der Saal füllte sich wieder. Bald würde man tun, wozu man hergekommen war, man würde seine Stimme abgeben und sein Geld verdient haben. Knurrewahn sprach. Er sprach aus echter Sorge, ein Patriot, den Dörflich hängen würde, wenn er könnte. Aber auch Knurrewahn wollte sein Heer haben, auch er wollte bündnisfähig werden, aber noch nicht zu dieser Stunde. Knurrewahn war ein Mann des Ostens, und es lag ihm am Herzen, den Osten mit dem Westen wieder zu vereinen, er träumte sich als den großen Vereiner, er hoffte, mit der nächsten Wahl die Mehrheit zu erringen, zur Regierung zu kommen, und dann wollte er das Werk der Einheit vollbringen, danach wünschte er dann das Heer und die Bündnisfähigkeit. Es war merkwürdig, wie leicht zu allen Zeiten der Geschichte die Ältesten bereit waren, die Jugend dem Moloch zu opfern. Dem Parlament war nichts Neues eingefallen. Es wurde namentlich abgestimmt. Die Stimmzettel wurden eingesammelt. Keetenheuve gab seine Stimme gegen die Regierung ab, und er wußte nicht einmal, ob er recht daran tat, ob er politisch klug handelte. Er war aber auch nicht mehr gewillt, klug zu handeln. Wer würde der Regierung im Amt nachfolgen? Eine bessere Regierung? Knurrewahn? Keetenheuve glaubte nicht, daß Knurrewahns Partei die regierungsfähige Mehrheit erringen würde. Vielleicht würde eines Tages eine große Koalition der Unzufriedenen regieren mit Dörflich an der Spitze, und dann waren Tod und Teufel los. Da saßen sie nun und waren am Ende ihres Lateins, die Günstlinge des Suffrage universel, die Jünger Montesquieus, und sie merkten gar nicht, daß sie Torenspiele arrangierten, daß von der Gewaltenteilung, die Montesquieu gefordert hatte, schon lange nicht mehr die Rede war. Die Mehrheit regierte. Die Mehrheit diktierte. Die Mehrheit siegte in einem zu. Der Bürger hatte nur noch zu wählen, unter welcher Diktatur er leben wolle. Die Politik des kleineren Übels, sie war das A und O aller Politik, das Alpha und Omega der Wahl und der Entscheidung. *Die Gefahren der Politik, die Gefahren der Liebe,* man kaufte Broschüren und Schutzmittel, man glaubte, heil davonzukommen, und plötzlich hatte man Kinder und Pflichten oder die Syphilis. Keetenheuve schaute sich um. Sie sahen alle bedeppert aus. Niemand gratulierte dem Kanzler. Der Kanzler stand einsam da. Die Griechen deportierten ihre großen Männer. Gegen Themistokles und gegen Thukydides entschied das Scherbengericht. Thukydides wurde erst in der Verbannung ein großer Mann. Auch Knurrewahn stand einsam. Er faltete Zettel zusammen. Seine Hände zitterten. Heineweg und Bierbohm blickten vorwurfsvoll auf Keetenheuve. Sie blickten vorwurfsvoll, als ob er die Schuld habe, daß Knurrewahns Hände zitterten. Keetenheuve stand völlig verlassen da. Jeder mied ihn, und er ging jedermann aus dem Weg. Er dachte: Wenn wir eine Regenanlage im Saal haben, man sollte sie anstellen, man sollte es heftig regnen lassen, ein grauer Landregen sollte niederprasseln und uns alle durchnässen. *Keetenheuve der große parlamentarische Landregen*

Es war aus. Es war alles zu Ende. Es war nur Theater gewesen; man konnte sich abschminken. Keetenheuve verließ den Saal. Er floh nicht. Er ging langsam. Keine Erinnyen hetzten ihn. Er löste sich Schritt für Schritt aus einem verhexten Dasein. Er wanderte wieder durch die Gänge des Bundeshauses, wieder über die Treppen der Pädagogischen Akademie, wieder durch das Labyrinth, *Theseus der den Minotaurus nicht erschlagen hat,* gleichmütige Wächter begegneten ihm, Bundesreinemachefrauen gingen mit Eimern und Schrubbesen gleichmütig dem Staub zu Leib, gleichmütige Beamte traten den Heimweg an, das Stullenpapier sauber zusammengefaltet in der Aktenmappe, sie wollten es morgen wieder verwenden, sie hatten ein Morgen, sie waren Gestalten der Dauer, und Keetenheuve gehörte nicht zu ihnen. Er kam sich wie ein Gespenst vor. Er erreichte sein Büro. Er schaltete wieder das Neonlicht ein. Zwielichtig, zwiegesichtig und bleich stand der Abgeordnete in der Unordnung seines volksvertretenden Lebens. Er wußte, daß es aus war. Er hatte den Kampf verloren. Die Verhältnisse hatten ihn besiegt, nicht die Gegner. Die Gegner hatten ihn kaum beachtet. Die Verhältnisse waren das Unabänderliche. Sie waren die Entwicklung. Sie waren das Verhängnis. Was blieb Keetenheuve? Es blieb ihm, sich dreinzufügen, sich zum Haufen der Fraktion zu halten, mitzulaufen. Alle liefen irgendwo mit, hängten sich an die Notwendigkeit, sahen sie ein, hielten sie vielleicht gar für die Ananke der Alten, und doch war es nur der Trott der Herde, der Schub der Angst und ein schäbiger Weg zum Grab. Nimm dein Kreuz, riefen die Christen. Diene, forderten die Preußen. Divide et impera, lehrten schlechtbezahlte Schullehrer die Knaben. Auf Keetenheuves Tisch lagen neue Briefe an den Abgeordneten. Seine Hand wischte sie von der Platte. Es war nun gänzlich sinnlos geworden, ihm zu schreiben. Er wollte nicht mehr mitspielen. Er konnte nicht mehr mitspielen. Er hatte sich ausgegeben. Er warf seine Abgeordnetenexistenz mit den Briefen fort. Die Briefe fielen auf den Boden, und es war Keetenheuve, als höre er sie dort stöhnen und jammern, sie schimpften und fluchten ihm, da lagen Bitten, und da waren Erbitterung, Drohungen mit Selbstmord und Drohungen mit Attentaten, das rieb sich, scheuerte, entzündete sich, das wollte leben, wollte Renten, Versorgungen, ein Dach, das wollte Posten, Befreiungen, Pfründen, Beihilfen, Straferlasse, eine andere Zeit und andere Ehepartner haben, das wollte seine Wut loswerden, seine Enttäuschung beichten, seine Ratlosigkeit gestehen oder seinen Rat aufdrängen. Vorbei. Keetenheuve konnte nicht raten. Er brauchte keinen Rat. Er nahm Elkes Bild zu sich und die angefangene Übersetzung des »Beau navire«. Die Mappe mit den Akten, mit der neuen Lyrik, mit den Gedichten von E. E. Cummings ließ er im Büro *(kiss me) you will go*

Das Neonlicht in Keetenheuves Büro leuchtete die ganze Nacht. Es leuchtete unheimlich über den Rhein. Es war das Auge des Drachens aus der Sage.

Aber die Sage war alt. Der Drache war alt. Er hütete keine Prinzessin. Er bewachte keinen Schatz. Es gab keinen Schatz, und es gab keine Prinzessinnen. Es gab unerfreuliche Akten, ungedeckte Wechsel, unbedeckte Schönheitsköniginnen und schmutzige Affären. Wer wollte sie bewachen? Der Drache war ein Kunde des Städtischen Elektrizitätswerkes. Sein Auge leuchtete mit einer Spannung von zweihundertzwanzig Volt und verbrauchte fünfhundert Watt in der Stunde. Seine Magie lebte in der Einbildung des Betrachters. Es war ein seelenloses Auge. Es blickte über den Rhein. Es blickte in eine seelenlose Welt. Auch der friedliche Rhein war eine bloße Einbildung des Beschauers.

Keetenheuve ging die Rheinuferstraße stadteinwärts. Die Stenographen des Bundestages begegneten ihm. Sie trugen ihre Regenmäntel über dem Arm. Sie schlenderten heim. Sie verweilten am Fluß. Sie hatten es nicht eilig. Sie suchten ihr Spiegelbild im trüben Wasser. Ihre Gestalt schwankte auf trägen Wellen. Sie trieben in einem matten warmen Wind. Es war der matte warme Wind ihrer Existenz. Freudlose Kammern erwarteten sie. Den einen oder den anderen erwartete ein lustloser Schoß. Einige guckten Keetenheuve an. Sie guckten interesselos. Sie hatten gelangweilte leere Gesichter. Ihre Hand hatte Keetenheuves Worte aufgenommen. Ihr Gedächtnis hatte seine Rede nicht bewahrt.

Ein Ausflugsdampfer näherte sich dem Ufer. Über den Decks brannten Lampions. Eine Reisegesellschaft saß beim Wein. Die Männer hatten bunte Mützen auf ihre kahlen Schädel gesetzt. Sie hatten sich lange Nasen vor ihre Knollennasen gesteckt. Die Männer mit den bunten Kappen und den langen Nasen waren Fabrikanten. Sie umarmten häßlich angezogene, häßlich frisierte, streng und süßlich riechende Fabrikantenfrauen. Sie sangen. Die Fabrikanten und die Fabrikantenfrauen sangen »Wo die Möwe fliegt zum Nordseestrand«. Vor dem Wasserrad unter seiner schmutzigen Gischt stand auf einer kleinen Bühne der erschöpfte Koch des Schiffes. Er blickte abgespannt und gelangweilt zum Ufer hinüber. An seinen nackten Armen klebte Blut. Er hatte traurige stumme Karpfen getötet. Keetenheuve dachte: Wäre es eine Existenz für mich, jeden Tag die Nordseemöwe, jeden Tag die Loreley? *Keetenheuve trauriger Koch der Rheindampfergesellschaft, tötet keine Karpfen*

Im Palais des Präsidenten brannte Licht. Alle Fenster standen offen. Der matte warme Wind, der Wind der Stenographen, floß durch die Räume. Musäus, der Butler des Präsidenten, der sich für den Präsidenten hielt, ging von Zimmer zu Zimmer, während der wirkliche Präsident eine seiner gebildeten Ansprachen memorierte. Musäus sah nach, ob die Betten gemacht waren. Wer würde drin schlafen in dieser Nacht? Das Bundesschiff mit dem Präsidenten trieb im matten warmen Wind auf trägen Wellen dahin, aber gefährliche Riffe lagen tückisch unter der sanften Strömung verborgen, und dann wurde der Fluß urplötzlich reißend, zerreißend, Schiffbruch drohte, Zerschellen im Dröhnen eines Falls. Die Betten waren gemacht. Wer würde schlafen? Der Präsident? Ein Plakat leuchtete, von Scheinwerfern angestrahlt, ein erleuchtetes Zelt war am Rheinufer errichtet, es stank nach Schlick, Verwesung und künstlicher Erhaltung eines Leichnams. *Jonas den Walfisch muß man gesehen haben!* Kinder belagerten das Zelt. Sie schwenkten Papierfahnen, und auf den Fahnen stand: *Eßt Busses vitaminreiche reine Walfettmargarine.* Keetenheuve zahlte sechzig Pfennig und sah sich dem großen Säugetier des Meeres, dem Leviathan der Bibel gegenüber, einem Mammut der Polarseen, einem königlichen Wesen, urweltlich, menschenverachtend und doch eine Harpunenbeute, eine elend geschändete und zur Schau gestellte Größe, ein formalinbespritzter und nicht beerdigter Kadaver. Der Prophet Jona wurde ins Meer geworfen, der Walfisch verschlang ihn (der gute Walfisch, Jonas Retter, Jonas Vorsehung), drei Tage und drei Nächte saß Jona im Leibe des gewaltigen Fisches, das Meer beruhigte sich, die Gefährten, die ihn ins Wasser geworfen hatten, ruderten in die leere Weite, sie ruderten beruhigt dem leeren, uferlosen Horizont entgegen, und Jona betete zu Gott aus dem Bauch der Hölle, aus der Finsternis, die seine Rettung war, und Gott machte sich dem Walfisch verständlich, und er befahl dem braven, dem mißbrauchten, dem an Fastenspeisen gewöhnten mönchischen Tier, den Propheten wieder auszu-

177

speien. Dies konnte, wenn man das spätere Verhalten des Propheten in Betracht zog, auch eine Magenverstimmung des gutmütigen Fisches gewesen sein. Und Jona ging nach Ninive, in die große Stadt, und er predigte *Es sind noch vierzig Tage, so wird Ninive untergehen,* und da das vor den König von Ninive kam, stand er auf von seinem Thron, legte seinen Purpur ab und hüllte einen Sack um sich und legte sich in die Asche. Ninive tat Buße vor dem Herrn, aber Jona verdroß es, daß sich der Herr Ninives erbarmte und es rettete. Jona war ein großer und begabter, aber er war auch ein kleiner und rechthaberischer Prophet. Er hatte recht: Ninive sollte in vierzig Tagen untergehen. Aber Gott dachte sprunghaft, er dachte nicht nach der Denk- und Dienstvorschrift, nach der Jona, Heineweg und Bierbohm dachten, und Gott freute sich des Königs von Ninive, der seinen Purpur ablegte, und er freute sich des bereuenden Volkes von Ninive, und Gott ließ die Bombe in der Wüste von Nevada sterben, und er freute sich, weil sie in Ninive freundliche kleine Boogies zu seiner Ehre tanzten. Keetenheuve fühlte sich vom Walfisch verschlungen. Auch er saß in der Hölle, auch er saß tief unter dem Meeresspiegel, auch er im Leib des großen Fisches. *Keetenheuve Prophet von alttestamentarischer Strenge.* Aber von Gott gerettet, ausgespien aus dem Bauch des Wales, würde Keetenheuve zwar Ninives Untergang verkünden, aber groß wäre seine Freude, wenn der König seinen Purpur ablegen würde, ablegen den aus einem Maskenverleih geborgten Königsmantel, und Ninive gerettet wäre. Vor dem Zelt standen die Kinder. Sie schwenkten ihre Fahnen *Eßt Busses vitaminreiche reine Walfettmargarine.* Die Kinder hatten blasse, verbitterte Gesichter, und sie schwenkten ihre Papierfahnen mit großem Ernst, wie es die Werbefachleute von ihnen erwarteten.

Ein paar Schritte weiter traf Keetenheuve auf einen Maler. Der Maler war mit einem Wohnauto zum Rhein gefahren.

Er saß im Licht seiner Autoscheinwerfer am Ufer des Stromes, er blickte sinnend in den Abend, und er malte eine deutsche Gebirgslandschaft mit einer Hütte, mit einer Sennerin, mit gefährlichen Steilhängen, mit viel Edelweiß und mit drohenden Wolken, es war eine Natur, die Heidegger erfunden haben und die Ernst Jünger mit seinen Waldgängern beschreiten konnte, und das Volk stand um den Maler herum, erkundigte sich nach dem Preis des Kunstwerkes und bewunderte den Meister.

Keetenheuve erstieg eine Fortifikation, den alten Zoll, er sah verwitterte alte Kanonen, die vielleicht noch gemütlich, mit freundschaftlichen Klapsen als Gruß von Souverän zu Souverän auf Paris geschossen hatten, er sah schmächtige, nicht recht gedeihende, schwindsüchtig winkende Pappeln, und hinter ihm stand auf einem würdigen billigen Sockel Ernst Moritz Arndt in präzeptiver redseliger Haltung. Zwei kleine Mädchen kletterten Ernst Moritz Arndt auf die Füße. Sie hatten angerauhte, viel zu große baumwollene Hosen an. Keetenheuve dachte: Ich würde euch gern in nettere Gewänder kleiden. Doch vor ihm hob sich nun mächtig der Strom aus der Landschaft. Aus der Enge seines mittleren Laufes schüttete er sich breit in die niederrheinische Weite, ergab sich dem Handel, der Regsamkeit, dem Gewinn. Das Siebengebirge versank im Abend. Der Kanzler und seine Rosen versanken im Abendschatten. Links schwang sich in hohen Bogen die Brücke nach Beuel. Kandelaber leuchteten auf der Brücke wie Fackeln gegen die Dämmerung. Ein Dreiwagenzug der Straßenbahn schien auf dem Mittelbogen der Brücke stillzustehen. Die Bahn war wie aus jeder Wirklichkeit herausgehoben, für einen Augenblick das überrealistische Abbild eines Verkehrsmittels, ein gespenstisches Abstraktum. Es war eine Todesbahn, und man konnte sich nicht vorstellen, daß sie irgendwohin fuhr. Man konnte sich nicht einmal denken, daß die Bahn ins Verderben fuhr. Die

Bahn war so, wie sie auf der Brücke stand, gebannt, versteint, ein Fossil oder ein Kunstwerk, eine Bahn an sich, ohne Vergangenheit und ohne Zukunft. Eine Palme langweilte sich in den Uferrabatten. Es war nicht anzunehmen, daß es eine Palme aus Guatemala war; aber Keetenheuve dachte an die Palmen der Plaza von Guatemala. Eine Hecke wie von einem Friedhof umschloß die Palme in Bonn. Am Ufer standen Pfadfinder. Sie sprachen eine ausländische Sprache. Sie beugten sich über das Geländer des Ufers und blickten in den Fluß. Es waren Jungen. Sie hatten kurze Hosen an. In ihrer Mitte war ein Mädchen. Das Mädchen hatte lange schwarze, sehr enge, Schenkel und Waden nachzeichnende Beinkleider an. Die Jungen hatten ihre Arme auf die Schulter des Mädchens gelegt. In der Vereinigung der Pfadfinder war Liebe. Sie griff Keetenheuve ans Herz. Die Pfadfinder existierten. Die Liebe existierte. Die Pfadfinder und die Liebe existierten an diesem Abend. Sie existierten in dieser Luft. Sie existierten am Ufer des Rheins. Aber sie waren völlig unwirklich! Es war hier alles so unwirklich wie die Blumen in einem Treibhaus. Selbst der matte und heiße Wind war unwirklich.

Keetenheuve schwenkte zur Stadt ein. Er kam in das Viertel, das zerstört war. Aus einem Ruinenfeld, aus Mauerstümpfen, aus einer Kellerlandschaft ragte unversehrt der gelbe Luftschutzrichtungspfeil *Rhein*. Die Bewohner der Stadt waren einst an den Fluß geflohen, um ihr Leben zu retten. Ein großer schwarzer Wagen parkte zwischen den Trümmern. Ein Wagen mit einer ausländischen Nummer strolchte über eine Schuttstraße. Auf einem Warnschild stand das Wort *Schule*. Der ausländische Wagen bremste im Krateracker. Aus den Furchen krochen Gestalten auf ihn zu. Keetenheuve sah wieder die Schaufenster, er sah die Schaufensterpuppen, er sah die pompösen Schlafzimmer, die pompösen Särge, die vielfachen geschlechtlichen Verkehrs-

und Verhütungsapparate; er sah allen Komfort, den die Kaufleute im Frieden vor dem Volk ausbreiten.

Er ging wieder in die weniger vornehme Weinstube. Die Stammtische waren besetzt. Die Stammtische erörterten die Abstimmung im Bundestag. Die Stammtische waren mißgelaunt, und die Abstimmung mißfiel ihnen. Aber ihr Mißfallen und ihre Mißlaune waren steril; sie waren eine Mißlaune und ein Mißfallen wie unter einem Vakuum. Die Stammtische nahmen übel. Auch jedes andere Ergebnis der Parlamentssitzung hätte sie mißgelaunt gemacht und ihnen mißfallen. Sie sprachen vom Bundestag mit einem prinzipiell vorhandenen Ärger; sie sprachen von der letzten Tagung wie von einem Ereignis, das zwar an sich ärgerlich und von angemaßter Macht sei, doch das sie nichts angehe und sie nicht berühre. Was berührte dieses Volk? Sehnten sie sich nach der Peitsche, um »Hurra« schreien zu können?

Keetenheuve hielt sich nicht mit den Schoppen auf *Keetenheuve großer Trinker,* er bestellte eine Flasche, ein bauchiges lustvolles Gefäß *Unterleibsflasche Krämerlustflasche* des guten Ahrweins. Dunkelrot, sanft, sämig floß der Wein aus der Flasche ins Glas, floß in die Kehle. Die Ahr war nahe. Keetenheuve hatte gehört, daß ihr Tal lieblich sei; aber Keetenheuve hatte gearbeitet, er hatte geredet und geschrieben, er hatte den Fluß und sein Tal, er hatte die Weinberge nicht besucht. Er hätte hinfahren sollen. Warum war er nicht mit Elke an die Ahr gewandert? Sie wären zur Nacht geblieben. Ihr Fenster hätte offengestanden. Die Nacht war warm. Sie hätten dem Murmeln des Wassers gelauscht. Oder waren es Palmen, die raschelten, dürre, schwertscharfe Blätter? Er saß allein *Gesandter Exzellenz Keetenheuve* er saß auf der Veranda in Guatemala. Starb er? Er trank hastig den Wein. E. E. Cummings' »handsome man« trank begierig; US-Dichter Cummings' »blueeyed boy« trank begierig in tiefen Zügen; Mr. Death' »blueeyed boy« *Abgeordneter* trank be-

181

gierig in tiefen Zügen den roten Burgundertraubenwein von der deutschen Ahr. Wer begleitete ihn von Schultagen her, breitete seine Fittiche über ihn, zeigte den scharfen Schnabel, die räuberischen Krallen? Der deutsche Aar. Er putzte sein Gefieder, er plusterte sich, nach der Mauserung der alte Kampfvogel. Keetenheuve liebte alle Kreatur, aber er mochte kein Wappentier. Drohte ein Hoheitszeichen? Stand Erniedrigung bevor? Keetenheuve brauchte kein Hoheitszeichen. Er wollte niemand erniedrigen. In der Tasche trug er Elkes Bild, trug's auf der Brust *links wo das Herz ist.* Als Knabe hatte er gelesen *Der Mensch ist gut. Und jetzt die grausige feuchte dunkle Tiefe des Grabes. Bei mir biste scheen. Schön schön schön.* Der Rundfunklautsprecher über dem Stammtisch wisperte: »Man schenkt sich Rosen in Tirol.« *Schlagerliedrosen, Rosen auch am Rhein, üppige Treibhausluftrosen, weise reiche Rosenzüchter gehen mit der Zuchtschere umher und beschneiden die jungen Triebe, Heckenschneider auf kiesbestreuten Holzwegen, böse alte Rosenzauberer, emsige Hexer werken schwitzen hexen im rheinischen Treibhaus von der Kohle des Reviers befeuert. Bei mir biste scheen, bei mir biste cheil. Geil geil geil. Zuviel geile Politik, zuviel geile Generale, zuviel geiler Verstand, zuviel geile Essen, zuviel volle Schaufenster in der Welt. Bei mir biste de Scheenste auf der Welt.* Ja, die schönste Fassade. »Vergessen Sie die Optik nicht.« »Sie müssen es von der richtigen optischen Seite ansehen.« »Jawohl, Herr Ministerialrat, Optik ist alles!« *Schönste Schönheitskönigin. Bikini. Atomversuchsatoll. Schöne Säuferin. Elke verlorenes Trümmerkind. Kaputt. Verlorenes KriegsNSgauleiterkind. Kaputt. Schönste der Tribaden* »be-o by-o be-o boo would-ja baba-botch-a-me«. Der Stammtisch-Lautsprecher singt: »Denn in Texas, da bin ich zu Hause.« *Busses vitaminreiches Schmelzschmalz.* Die Stammtischgeschäftsherren nicken. Sie sind Knaben. Sie sind in Texas zu Haus. Tom Mix und

Hans Albers reiten in Gestalt der Geschäftsherrenjugend-
träume auf ungesatteltem Aschbecher über den Stammtisch.
*Ständer einer Vereinsfahne. Weht. Winkt. Everything goes
crazy.* Keetenheuve trank. Warum trank er? Er trank, weil
er wartete. Auf wen wartete er in der Hauptstadt? Hatte er
Freunde in der Hauptstadt? Wie hießen seine Freunde in der
Hauptstadt? Sie hießen Lena und Gerda. Wer waren sie? Sie
waren Heilsarmeemädchen.

Sie kamen, Gerda, die Strenge, mit der Gitarre, Lena, der
Mechanikerlehrling, mit dem »Kriegsruf«, und Lena verbarg nicht, daß sie zu Keetenheuve gehen wollte, und Gerda
stand bleich da und verkniffenen Mundes. Die Mädchen
hatten sich gezankt. Das war zu sehen. Du wirst bestohlen
werden, dachte Keetenheuve, und er erschrak, weil er grausam war, weil er merkte, es vergnügte ihn, die kleine Lesbierin zu quälen, er war unritterlich (und doch nicht ungerührt),
er hätte sie gern die Gitarre nehmen und singen lassen – ein
Lied vom himmlischen Bräutigam. Er dachte es sich schön,
Lena, den Mechanikerlehrling, um die Taille zu fassen, und
Gerda sollte dazu das Lied vom himmlischen Bräutigam singen. Er sah in Gerdas bleiches Gesicht, er sah die Wut in ihrem Gesicht, er sah den verkniffenen Mund, er beobachtete
die zitternden schmalen Lippen, das nervöse, gequälte Zuk-
ken der Lider, und er dachte: Du bist meine Schwester, wir
gehören beide zur selben armen Hundefamilie. Aber er
haßte sein Spiegelbild, das närrische Spiegelbild seiner Vereinsamung. Ein Trinker zertrümmert den Spiegel; er zer-
schlägt mit dem splitternden Glas den verhaßten Ritter von
der schwankenden Gestalt, sein Ebenbild, das sich zur Gosse
neigt. Lena setzte sich, aufgefordert, nieder, und Gerda,
auch aufgefordert, hockte sich widersam hin, weil sie nicht
weichen wollte. Die Stammtischherren schauten auf. Sie saßen in der geschützten Loge und sahen den Raubtierkämp-
fen des Lebens zu. Keetenheuve nahm die Sammelbüchse

der Heilsarmee, stand auf, klapperte mit den Groschen, *Keetenheuve später WHWsammler,* hielt sie den Geschäftsleuten hin. Die rümpften die Nase. Kannten das Büchslein nicht mehr, *keine Spenden für den Führer und seine Wehrmacht.* Sie wandten sich ab, in ihren Knabenträumen gestört. Keetenheuve träumte im Augenblick stärkere Träume. Pueril war er wie sie. *Keetenheuve Kind Pädagoge und Pädophilist. Mann mit entwickeltem pädagogischem Eros. Bekannte sich zur Jugend.* Der Stammtischrundfunklautsprecher plärrte: »Pack die Badehose ein!« Ein Kind sang, quäkte über Wald und Feld und Berg und Tal, ein Tonband verschnurrte. *Ein Hund hat gebellt? Wo? In Insterburg. Judenwitz. Mergentheimwitz. Alter Volksblattwitz. Wer lebt? Wer ist tot? Wir leben noch. Mergentheim und Keetenheuve, Arm in Arm, altes Volksblatt-Denkmal, Dem Schutz der Bürger empfohlen!* Lena wollte Coca-Cola mit Kognak trinken; paßte sich an. Gerda wollte nichts annehmen; sapphische Grundsätze. Keetenheuve sagte: »Ein Kognak würde Ihnen bekommen.« Gerda bestellte Kaffee; sie bestellte Kaffee, um sich das Recht zu sichern, auf alle Fälle im Lokal bleiben zu können. Keetenheuve hatte noch nichts für Lena, den Mechanikerlehrling, getan. Er bedauerte es aufrichtig. Er hatte seinen Tag vertan. Die Kellnerin brachte ihm Briefpapier. Es war das Papier der Weinstube. *Was ist Wein Aufgefangener Sonnenschein* stand auf dem Briefkopf. Der Brief würde auf die Herren Adressaten einen schlechten Eindruck machen. *Keetenheuve Mann ohne Anstand.* Er schrieb einen Brief an Knurrewahn und schrieb einen Brief an Korodin. Er bat Knurrewahn und Korodin, Lena, den Mechanikerlehrling, wieder an die Werkbank zu bringen. Er gab Lena die Briefe. Er sagte zu ihr: »Korodin weiß nicht, ob er an Gott glaubt, und Knurrewahn weiß nicht, ob er nicht an Gott glaubt. Am besten gehst du zu beiden. Einer wird dir helfen.« Er dachte: Du wirst dich nicht abweisen lassen, meine

kleine Stachanowa. Er wollte ihr helfen. Aber zugleich wußte er, daß er ihr nicht helfen wollte, daß er es war, der sich gern an sie geklammert hätte; er hätte sie gern mitgenommen, sie konnte bei ihm wohnen, sie sollte bei ihm essen, sie mußte mit ihm schlafen, er hatte wieder Appetit auf Menschenfleisch, *Keetenheuve der alte Oger;* vielleicht konnte er Lena auf die Technische Hochschule schicken, sie würde ihr Examen machen, *Lena Doktor der Ingenieurwissenschaft* – und was dann? Sollte er's wagen? Sollte er Kontakt suchen? Aber was tat man mit einem akademisch gebildeten Brückenbauer? Schlief man mit ihm? Was empfand man, wenn man ihn umarmte? *Die Liebe eine Formel*
Er nahm Lena und führte sie in die Ruinen. Gerda folgte ihnen. Mit jedem ihrer Schritte klopfte die Gitarre gegen ihren männerfeindlichen Leib und brummte. Es war ein monotoner Rhythmus. Es war ein Takt wie von einer Negertrommel, eine Klage von Geschlagensein, von Verlassenheitsgefühl, von Sehnsucht in den dunklen Wald getrommelt. Der schwarze Wagen wartete noch immer vor der Landschaft der Mauerstümpfe. Der ausländische Wagen hielt noch immer auf dem Schuttweg. Der Mond brach durch die Wolken. Auf geborstenen Steinen saß Frost-Forestier. Vor ihm stand, lässig und kühn, in freier Haltung, vom Mondlicht überflossen, in seinem bis zum Nabel geöffneten Hemd, in seinen knappen kurzen Hosen, mit mehlbestäubten nackten Waden und nackten Schenkeln der schöne Bäckerknabe, der die Kassiererin des Kinos berauben wollte. Keetenheuve winkte Frost-Forestier einen Gruß zu; aber die schattengleichen Gestalten des aufrecht auf Trümmern sitzenden Mannes und des stolz vor ihm stehenden Epheben rührten sich nicht. Sie waren wie versteinerte Visionen, und alles war unwirklich und überwirklich zugleich. Aus dem auf dem Schuttweg parkenden ausländischen Wagen drang ein Stöhnen, und Keetenheuve war es, als ob Blut unter dem Wagen-

schlag hervorbräche und in den Staub der Zerstörung tropfte. Keetenheuve führte Lena in eine ausgeräumte Bucht aus halben Mauern, die einmal ein Zimmer gewesen war, man sah sogar noch etwas von der Tapete, es mochte der Raum eines Bonner Gelehrten gewesen sein, denn Keetenheuve erkannte ein pompejanisches Muster und den verwaschenen wollüstigen Leib eines weibischen Eroten mit zerrissenen Geschlechtsteilen, die überreifen Früchten glichen. Gerda folgte Lena und Keetenheuve in dieses Gemäuer, das der Mond erhellte, und aus den Höhlen ringsum, aus den verschütteten Kellern, aus den Verstecken der Not und der Verkommenheit wisperte es und kroch hervor und robbte heran wie zu einem Schauspiel. Gerda stützte die Gitarre auf einen Stein, und das Instrument antwortete mit einem vollen Akkord. »Spiel doch!« rief Keetenheuve. Er packte Lena, das Mädchen aus Thüringen, er beugte sich über ihr neugieriges erwartungsvolles Gesicht, er suchte ihre etwas zu geschwungenen, ihre weichen, mitteldeutsch sprechenden Lippen, trank süßen Speichel, kraftvollen Atem und heißes Leben aus ihrem jungen Mund, er streifte Lenas, des Mechanikerlehrlings, dürftiges Kleid beiseite, er berührte sie, und Gerda, noch bleicher im bleichen Mondlicht, nahm ihre Gitarre auf, schlug die Akkorde und sang mit heller Stimme das Lied vom himmlischen Bräutigam. Und aus den Erdlöchern taumelten die Erschlagenen, aus den Trichtern robbten die Verschütteten, aus dem Mörtelgrab krochen die Erstickten, aus ihren Kellern wankten die Unbehausten, und aus den Schuttbetten kam die Liebe, die sich verkauft, und Musäus kam aufgeschreckt aus seinem Palais und sah Elend, und die Abgeordneten versammelten sich zu außerordentlicher nächtlicher Sitzung in ihnen angemessener Weise auf dem Gräberfeld aus nationalsozialistischer Zeit. Der große Staatsmann kam angefahren, und er durfte in die Werkstatt der Zukunft blicken. Er sah Teufel und Gewürm, und er sah, wie sie einen Homunkulus schufen. Ein Zug von Piefkes bestieg den Obersalzberg und traf sich mit der Omnibusreisegesellschaft der Rheintöchter, und die Piefkes zeugten mit den Wagalaweiamädchen den Überpiefke. Der Überpiefke schwamm die hundert Meter im Schmetterlingsstil in weniger als einer Minute. Er gewann mit einem deutschen Wagen das Tausend-Meilen-Rennen in Atlanta. Er erfand die Mondrakete und rüstete, da er sich bedroht fühlte, gegen die Planeten auf. Schlote erhoben sich wie pralle erigierte Glieder, ein ekler Rauch legte sich um die Erde, und im schwefligen Dunst gründete der Überpiefke den Superweltstaat und führte die lebenslängliche Wehrpflicht ein. Der große Staatsmann warf eine Rose in den Rauch der Zukunft, und wo die Rose hinfiel, entstand ein Quell, und aus dem Quell floß schwarzes Blut. Keetenheuve lag im ewigen Blutfluß, er lag mit dem Thüringer Mädchen, mit dem Thüringer Mechanikerlehrling im Kreis der Volksvertreter, im Kreis der Staatsmänner, er lag im Blutbett, umgeben von Taggesindel und Nachtgelichter, und Käuzchen kreischten in der Luft, und die Kraniche des Ibykus schrien, und die Geier wetzten am erschütterten Gemäuer ihre Schnäbel. Eine Richtstätte wurde errichtet, und der Prophet Jona kam auf Jonas dem toten und gutmütigen Walfisch geritten und beaufsichtigte mit Strenge die Aufstellung der Galgen. Der Abgeordnete Korodin schleppte ein großes goldenes Kreuz herbei, unter dessen Last er gebückt ging. Er richtete mit großer Mühe das Kreuz neben dem Galgen auf, und er fürchtete sich sehr. Er brach Gold aus dem Kreuz und warf die Goldstücke in den Kreis der Staatsmänner und der Volksvertreter, in die Runde des Nachtgelichters und des Taggesindels. Die Staatsmänner verbuchten das Gold auf ihrem Konto. Der Abgeordnete Dörflich versteckte das Gold in einer Milchkanne. Der Abgeordnete Sedesaum ging mit dem Gold zu Bett und rief den

187

Herrn an. Das Nachtgelichter und das Taggesindel beschimpfte Korodin mit gemeinen Worten. Überall auf den Mauerstümpfen, in hohlen Fenstern, auf der geborstenen Säule aus des Sängers Fluch saßen die gefräßigen heraldischen Tiere, hockten dumme aufgeplusterte mordgierige Wappenadler mit geröteten Schnäbeln, fette selbstzufriedene Schildlöwen mit blutverschmiertem Maul, züngelnde Greife mit dunkelfeuchten Klauen, ein Bär brummte drohend, Mecklenburgs Ochse sagte Muh, und SA marschierte, Totenkopfverbände paradierten, Fememordbataillone rückten mit klingendem Spiel an, Hakenkreuzbanner entfalteten sich aus moorverschmierten Hüllen, und Frost-Forestier, einen durchschossenen Stahlhelm auf dem Haupt, rief: »Die Toten an die Front!« Eine große Heerschau ereignete sich. Die Jugend zweier Weltkriege marschierte an Musäus vorbei, und Musäus nahm bleich die Parade ab. Die Mütter zweier Weltkriege zogen stumm an Musäus vorüber, und Musäus grüßte bleich ihren schwarzumflorten Zug. Die Staatsmänner zweier Weltkriege schritten mit Orden bedeckt zu Musäus hin, und Musäus unterschrieb bleich die Verträge, die sie ihm vorlegten. Die Generale zweier Weltkriege kamen mit Orden übersät im Stechschritt herbei; sie stellten sich vor Musäus auf, zogen ihre Säbel, salutierten und forderten Pensionen. Musäus gewährte bleich die Pensionen, und die Generale packten ihn, führten ihn auf den Schindanger und überlieferten ihn dem Henker. Dann kamen die Marxisten mit roten Fahnen gezogen. Sie schleppten schwer an einem Gipsbild des großen Hegel, und Hegel reckte sich und rief: »Die großen Individuen in ihren partikularen Zwecken sind die Verwirklichung des Substantiellen, welches der Wille des Weltgeistes ist.« Der ausgemergelte Dauerklavierspieler aus dem Nachtlokal spielte dazu die Internationale. Die dürftigen Schönheiten des anderen Nachtlokals tanzten die Carmagnole. Der Polizeiminister

188

kam in einem Wasserwerfer gefahren und lud zu einer Treibjagd ein. Er hetzte dressierte Hunde über das Feld und feuerte sie mit Rufen an: Hetzt ihn, faßt ihn, jagt ihn! Der Minister suchte mit seinen Hunden Keetenheuve den Hundefreund zu fangen. Aber Frost-Forestier breitete schützend eine Weltkarte vor Keetenheuve aus, deutete auf den Rhein und sagte: »Dort liegt Guatemala!« Die Gitarre schlug; ihre Saiten wimmerten. Der Gesang des Heilsarmeemädchens hallte weit über die Trümmer, erhob sich über die Schutthalde voll Elend und Angst. Keetenheuve fühlte Lenas Hingabe, und er empfand alle Hingabe der Jahre seiner Rückkehr, all die verzweifelte Bemühung, sich in den Brei zu mischen, die unfruchtbar geblieben war und nicht erlöste. Es war ein Akt vollkommener Beziehungslosigkeit, den er vollzog, und er starrte fremd in ein fremdes, den Täuschungen der Lust überantwortetes Gesicht. Nur Trauer blieb. Hier war keine Erhebung, hier war Schuld, hier war keine Liebe, hier gähnte ein Grab. Es war das Grab in ihm. Er ließ von dem Mädchen und richtete sich auf. Vor sich sah er den Luftschutzrichtungsweiser *Rhein*. Der Luftschutzpfeil stand unübersehbar im hellen Mondlicht und wies gebieterisch auf den Fluß. Keetenheuve brach aus dem Kreis des Gelichters, das sich hier wirklich versammelt hatte, von dem traurigen Gesang, von dem schönen Gitarrenklang des Heilsarmeemädchens angelockt. Keetenheuve rannte zum Ufer des Rheins. Schimpfworte, Gelächter eilten ihm nach. Ein Stein wurde geworfen. Keetenheuve lief zur Brücke. Aus den erleuchteten Vitrinen des Kaufhauses am Brückeneck winkten die Schaufensterpuppen. Sie streckten verlangend ihre Arme nach dem Abgeordneten aus, der ihrem Zauber für immer entfloh. Vorbei. *Es war vorbei. Die Ewigkeit hatte schon begonnen*

Keetenheuve erreichte die Brücke. Die Brücke bebte unter der Fahrt der unwirklich aussehenden Straßenbahnen, und es war Keetenheuve, als bebe der freischwebende Bogen der Brücke unter der Last seines Körpers, unter dem Aufsetzen seiner eilenden Schritte. Die Glocken der gespenstischen Bahnen schellten; es war wie ein boshaftes Kichern. In Beuel am jenseitigen Ufer strahlte aus einem Gewinde von Glühbirnen das Wort *Rheinlust*. Aus dem ländlichen Garten stieg eine Rakete auf, zerplatzte, fiel, ein sterbender Stern. Keetenheuve faßte das Brückengeländer, und wieder fühlte er das Beben des Steges. Es war ein Zittern im Stahl, es war, als ob der Stahl lebe und Keetenheuve ein Geheimnis verraten wolle, die Lehre des Prometheus, das Rätsel der Mechanik, die Weisheit der Schmiede – aber die Botschaft kam zu spät. Der Abgeordnete war gänzlich unnütz, er war sich selbst eine Last, und ein Sprung von dieser Brücke machte ihn frei.

*Wolfgang Koeppen
im Suhrkamp Verlag*

Drei Romane: Tauben im Gras. Das Treibhaus. Der Tod in
Rom. 1970. 560 S. Ln.

Tauben im Gras. 1974. 210 S. *Bibliothek Suhrkamp* 393
Jugend. Prosa. 1976. 300 S. *Bibliothek Suhrkamp* 500

Romanisches Café. Erzählende Prosa. 1972. 122 S.
suhrkamp taschenbuch 71
Das Treibhaus. 1972. 190 S. *suhrkamp taschenbuch* 78
Nach Rußland und anderswohin. Empfindsame Reisen. 1973.
268 S. *suhrkamp taschenbuch* 115
Der Tod in Rom. Roman. 1975. 188 S.
suhrkamp taschenbuch 241
Eine unglückliche Liebe. Roman. 1977. 198 S.
suhrkamp taschenbuch 392
Reisen nach Frankreich. 1979. 168 S.
suhrkamp taschenbuch 530

Über Wolfgang Koeppen. Herausgegeben von Ulrich Greiner.
1976. 320 S. *edition suhrkamp* 864

Sonderausgabe
im Suhrkamp Verlag

Wolfgang Koeppen
Drei Romane
Tauben im Gras
Das Treibhaus
Der Tod in Rom
560 Seiten

Seit Kriegsende hat Wolfgang Koeppen drei Romane geschrieben:
Die ersten kritischen Bestandsaufnahmen der Bundesrepublik.
Ihre Prosa hat Hans Magnus Enzensberger als »die zarteste und
biegsamste« bezeichnet, »die unsere verarmte Literatur in diesem
Augenblick besitzt«. »Tauben im Gras« (1951), »Treibhaus«
(1953) und »Der Tod in Rom« (1954) sind Varianten des gleichen
Themas, sie sind unerbittliche Analysen der Rückstände jener
Ideologien und Verhaltensweisen, die zu Faschismus und Krieg
geführt haben. Von ihren Themen sagte der Autor »sie drängen
sich heran wie alte Gläubiger«. Diese Romane sind voller Aktion,
voll ärgerlicher, unmißverständlich-plastischer Bilder. Die Reak-
tion der Kritik war heftig und polemisch, meist aus politischen
Gründen.
Diese Romane gehören zu den wichtigsten Dokumenten der deutschen Nachkriegsliteratur. Sie bekräftigen Wolfgang Koeppens
Anspruch an den Schriftsteller, der »engagiert ist, gegen die Macht,
gegen die Gewalt, gegen die Zwänge der Mehrheit, der Massen.
Wenn er sich der Macht unterwirft, hat er seine Berufung, seinen
geheimnisvollen Auftrag, die Zukunft verraten«.

suhrkamp taschenbücher

st 542 Franz Innerhofer
Schattseite. Roman
272 Seiten
Nach seinem ersten Roman *Schöne Tage* (st 349) erzählt
Innerhofer in seinem neuen Buch von den weiteren Sta-
tionen seines alter ego Holl.
»Wo Literatur sich gegen jene Verhältnisse wendet, wo
die Hauptfigur des Romans kein stärkeres Bedürfnis
kennt, als die herrschenden Lebens- und Arbeitsbedin-
gungen loszuwerden, da stellt sich Literatur, ob sie es will
oder nicht, mitten hinein in die aktuellen gesellschaftlichen Auseinandersetzungen.« *Michael Scharang*

st 544 Helmuth Plessner
Zwischen Philosophie und Gesellschaft
Ausgewählte Abhandlungen und Vorträge
382 Seiten
Die Abhandlungen und Vorträge Plessners beschäftigen
sich mit der Situation der Philosophie zwischen den beiden
Weltkriegen, mit dem Werk Husserls, mit Nicolai Hart-
mann und mit der gewiß nicht veralteten Frage, ob es
einen Fortschritt in der Philosophie gebe. Einen weiteren
Schwerpunkt bilden die Arbeiten zur philosophischen
Anthropologie: Zur Deutung des mimischen Ausdrucks,
zur Anthropologie des Schauspielers, über das Lächeln
und über das Problem des Verhältnisses der menschlichen Natur zur Macht.

st 545 Stimmen und Visionen
Gespräche von Sam Keen mit Norman O. Brown, Herbert
Marcuse, Joseph Campbell, John Lilly, Carlos Castaneda,
Oscar Ichazo, Stanley Keleman, Ernest Becker, Robert
Assagioli
Aus dem Amerikanischen von Dora Fischer-Barnicol
240 Seiten
Der Harvard-Professor Sam Keen führte in den ersten
siebziger Jahren im Auftrag der Zeitschrift *Psychology
Today* Gespräche mit berühmten Zeitgenossen. Ziel und
Ergebnis waren eine Übersicht der spirituellen, psycholo-
gischen und politischen Bewegungen, der ›geistigen‹ Vor-
gänge auf der amerikanischen Szene.

st 546 Volker Braun
Das ungezwungne Leben Kasts
208 Seiten
Vier Liebesgeschichten sind es, die erste von einem Zwanzigjährigen geschrieben, die letzte im Alter von fünfunddreißig. Hier wird den gesellschaftlichen Widersprüchen des realen Sozialismus auf den Grund gegangen bei dem Versuch, die verschiedenen Lebensbereiche – Arbeit, Wissenschaft, das Künstlerische, das Körperliche – für sich, für Kasts Leben, zu vereinen. Kast erfährt »die neuen Abhängigkeiten«, die im Sozialismus »um so härter empfunden, fürchterlicher werden«.

st 547 Max Brod
Der Prager Kreis
Mit einem Nachwort von Peter Demetz
264 Seiten
Die Darstellung geht von dem »engeren Prager Kreis« aus, der Kafka, Brod, Felix Weltsch, Oskar Baum, Ludwig Winder umfaßte. Brod schildert dann die Kontakte mit dem »weiteren Prager Kreis« (Franz Werfel, Willy Haas, Johannes Urzidil u. a.) und mit den tschechischen Künstlern. Auch zeigt er viele andere »Ausstrahlungen«. So ruft er zum Beispiel den genialen Erzähler Hermann Grab in Erinnerung.

st 548 Friederike Mayröcker. Ein Lesebuch
Herausgegeben und eingeleitet von Gisela Lindemann
352 Seiten
Die Auswahl aus dem bisherigen Werk von Friederike Mayröcker ist eine näherungsweise thematisch orientierte Komposition. Es sollen darin alle literarischen Formen vorgeführt werden, die die Autorin im Laufe der Jahre durchgespielt hat: unterschiedliche Formen von Lyrik, szenischer Prosa, Hörspiel, erzählender Prosa.

st 549 E. M. Cioran, Vom Nachteil, geboren zu sein
Übersetzt von François Bondy
176 Seiten
Jenseits aller intellektuellen und weltanschaulichen Lager hat Cioran in seinen Aphorismen eine Position bezogen, die er selbst als die des Zweiflers, des radikalen Skeptikers bezeichnet.

st 550 E. M. Cioran, Die verfehlte Schöpfung
Übersetzt von François Bondy. Das Kapitel
»Die neuen Götter« wurde von Elmar Tophoven übersetzt
136 Seiten
Die verfehlte Schöpfung ist eine rasant vorgetragene
Attacke auf alle theologisch oder geschichtsphilosophisch
verbürgten Sicherheiten, auf die Existenz eines übergrei-
fenden »Sinns«, auf die Idee der Erlösung.
»Eine neue Art des Philosophierens: persönlich (sogar
autobiographisch), aphoristisch, lyrisch, anti-systematisch.
Die bedeutendsten Beispiele: Kierkegaard, Nietzsche und
Wittgenstein – Cioran ist heute die hervorragendste Figur
dieser Tradition des Schreibens.« *Susan Sontag*

st 553 Basis. Jahrbuch für deutsche Gegenwartsliteratur
Band 9
Herausgegeben von Reinhold Grimm und Jost Hermand
272 Seiten
Mit Beiträgen von Norbert Mecklenburg, Manfred Durzak,
Jost Hermand, Adolf Muschg, Bernd Neumann, Mazzino
Montinari u. a. Ohne methodisch festgelegt zu sein, sucht
Basis eine Literaturbetrachtung zu fördern, die an der
materialistischen Grundlage orientiert ist.

st 557 Walter Schäfer, Erziehung im Ernstfall
Die Odenwaldschule 1946–1972
Mit einem Nachwort von Hellmut Becker
264 Seiten
Am Beispiel der privaten Heimschule *Odenwaldschule* soll
gezeigt werden, wo in unserer Gesellschaft während der
ersten Nachkriegsjahrzehnte Behinderungen beim Heran-
wachsen junger Menschen sichtbar wurden und wie man
versucht hat, diese Behinderungen nachhaltig abzubauen.

st 558 Erica Pedretti
Harmloses, bitte
80 Seiten
An den Bildern, die Erica Pedretti in anschaulicher Deut-
lichkeit entwirft, läßt sich der Übergang von der Deskrip-
tion einer idyllischen Landschaft, des heilen Lebens zur
angedeuteten Tragödie erkennen. Dieses Modell ist in
einer gegenständlichen Sprache erzählt, die modernste

Erzähltechniken ebenso wie den einfachen Satz aufnimmt.
So erweist sich der Text als spiegelndes Glatteis, auf dem
der, der Harmloses erwartet, zu Fall kommt.

st 559 Ralf Dahrendorf
Lebenschancen
Anläufe zur sozialen und politischen Theorie
238 Seiten
Dieser Band ist ein Versuch, den Begriff der Lebens-
chancen als Schlüsselbegriff zum Verständnis sozialer
Prozesse zu etablieren und in den Zusammenhang ge-
schichtsphilosophischer Erwägungen zur Frage des Fort-
schritts, sozialwissenschaftlicher Analysen des Endes der
Modernität und politisch-theoretischer Überlegungen zum
Liberalismus zu stellen.

st 568 Bernard von Brentano
Berliner Novellen
Mit Illustrationen nach Linolschnitten von
Clément Moreau
96 Seiten
In dieser 1934 erstmals erschienenen Sammlung erzählt
der Autor die Geschichte des sechsjährigen Rudi, eines
angeblichen Attentäters, er erzählt die Geschichte eines
außerordentlichen Mädchens (»Von der Armut der reichen
Leute«), eines Straßenmusikanten (»Der Mann ohne Aus-
weis«). Er sieht Zusammenhänge dort, wo Zeitungen
Berichte bieten. Arbeiter, Arbeiterinnen, Bettler treten auf,
aber auch das Berlin der Bankhäuser und des Geldes.
Klaus Michael Grüber entdeckte die Novelle »Rudi« für
eine Inszenierung durch die *Schaubühne am Halleschen
Ufer* im Berliner *Hotel Esplanade*.

st 595 Ödön von Horváth, Geschichten aus dem Wiener Wald
Ein Film von Maximilian Schell
Mit zahlreichen Abbildungen
160 Seiten
Zur Uraufführung des Maximilian Schell-Films »Geschichten aus dem Wiener Wald« nach dem Volksstück
von Ödön von Horváth liegt dieser Band mit dem Dreh-
buch von Christopher Hampton und Maximilian Schell
und zahlreichen Fotos des 1978 in Wien und Umgebung
entstandenen Films vor, der den Entstehungsprozeß des
Films dokumentiert.